Contrôlez votre douleur

François Boureau

Contrôlez votre douleur

Apprendre à faire face à une douleur rebelle

Préface du Pr J. Cambier

Petite Bibliothèque Payot

Cet ouvrage est dédié à tous les patients examinés à la consultation de la douleur de l'hôpital Saint-Antoine. Ils nous ont appris ce que nous cherchons à transmettre aujourd'hui.

Nos remerciements vont à M. le Pr A. Hugelin qui a toujours su faciliter notre travail et à tous les collègues de l'équipe de la consultation de la douleur, J.-F. Doubrère, M. Luu, C. Gay, A. Combes, A. Wajgros, A. S. Koskas-Sergent, S. Chabee.

Nous remercions également Mme A. Alla pour sa collaboration quotidienne et Mlle J. Chandelier pour la réalisation de l'iconographie.

« Dis-moi comment tu souffres… »

La douleur n'est pas une sensation comme les autres. Fondamentalement, sa perception est liée à la prise de conscience d'une agression menaçant l'intégrité de l'organisme. Il existe au sein de nos téguments et dans la paroi de nos viscères des récepteurs spécialisés qui répondent électivement aux stimulations qui constituent une telle menace. L'information issue de ces nocicepteurs est transmise à la moelle puis au cortex cérébral par un système de fibres et de relais qui constituent les voies de la douleur. La perception de la douleur est liée au fonctionnement de ce système d'alarme, mais elle constitue une expérience psychologique qui ne peut être expliquée par un simple schéma neurophysiologique. De la douleur des autres nous ne connaissons que ce qu'ils expriment par leur comportement ou dans leur langage et il n'y a pas de relation constante entre l'intensité du stimulus et l'intensité de la douleur exprimée. D'un sujet à l'autre, la perception varie en fonction de normes culturelles et d'influences éducatives. Chez un même sujet, la perception varie suivant les circonstances, une blessure peut ne pas être ressentie si elle a été contractée dans l'ardeur du combat ou l'exaltation d'une compétition sportive.

On a pu comparer les nocicepteurs à des chiens de

garde qui signalent en aboyant un danger potentiel. En vérité, le chien de garde aboie au moindre changement dans son entourage habituel. Le maître a appris à interpréter ce message et il cesse de réagir à chaque aboiement. Bien plus, il s'efforce d'apprendre à son chien à réagir de façon plus sélective. Il en est de même pour la douleur : en face du système nociceptif qui transmet le message d'alarme, nous disposons de nombreux mécanismes antinociceptifs qui, aux étapes successives de la prise de conscience, sont capables de moduler le message ou même de le supprimer. La douleur perçue dépend de la dialectique des deux systèmes, elle révèle l'intérêt et la signification que l'organisme accorde au message nociceptif.

Chez l'homme, le langage, en exprimant la douleur, en achève la perception. Le langage définit la sensation dans l'espace et le temps en même temps qu'il exprime en termes affectifs la menace ressentie. Il formule une interprétation de la cause de cette sensation. Il développe la dimension relationnelle de la douleur exprimée : par lui, l'individu signale à l'autre le danger ressenti et en même temps la douleur exprimée est un appel au secours, une imploration, voire une revendication. Enfin, en se définissant dans le code de la langue, la douleur accède à la représentation symbolique : elle s'autonomise comme événement signifiant dans la représentation que le sujet se fait de sa propre histoire, elle est analysée, critiquée et finalement admise ou rejetée et donc consciemment vécue en fonction du passé du sujet, de ses acquisitions culturelles, des contraintes sociales.

Le double aspect neurophysiologique et psychologique de la douleur concerne la douleur aiguë mais plus encore la douleur chronique. La douleur chronique perd sa finalité mobilisatrice : un signal continu n'est plus un signal d'alarme. Sa perception manifeste l'échec du contrôle de la nociception, soit parce qu'un afflux excessif et permanent de stimulation le déborde (douleurs somatiques), soit parce que des lésions compromettent le fonctionnement des dispositifs modulateurs (douleurs neurologiques), soit parce que le patient accorde au message une signification telle que, consciemment ou non, il se refuse à l'inhiber, voire il l'amplifie (douleurs psychogènes). Ces causes diverses aboutissent au développement du comportement douloureux chronique. Ce comportement a une dimension affective à connotation dépressive ; une dimension relationnelle, l'expression de la douleur fonctionnant comme un comportement opérant dans le milieu familial et social ; une dimension rationnelle et cognitive, reflétant la façon dont le patient a développé son propre langage de la douleur.

Le docteur Boureau nous fait part de son expérience. Il faut le suivre car il ne nous transmet pas des connaissances livresques ou un exposé théorique. Il nous parle de ce qu'il a appris au contact des patients. Il nous montre aussi comment chacun peut apprendre à décrypter le langage de la douleur, à condition d'être attentif et de toujours interpréter le symptôme en fonction de l'histoire personnelle du patient. Ce livre n'est pas un recueil de recettes pour vaincre la douleur. Certes l'auteur est un excellent thérapeute et aucune des techniques modernes ne lui est étrangère. Souvenons-nous que les techniques sont peu de choses sans un supplément d'âme. La façon d'entendre, la façon de donner sont essentielles dans l'art de guérir. Le docteur Boureau le sait, il a pris la peine de nous le dire, qu'il en soit remercié.

J. CAMBIER.

Malgré un diagnostic correct et des traitements appropriés, certaines douleurs résistent. Les patients qui souffrent de telles douleurs, qui peuvent se prolonger pendant des mois, parfois des années, finissent par perdre tout espoir. LES CONSULTATIONS DE LA DOULEUR se sont organisées pour mieux les aider. Tous les moyens médicaux ou chirurgicaux doivent être mis en œuvre pour tenter de soulager une douleur rebelle. Des progrès considérables ont été réalisés, dans les domaines les plus variés.

Parmi toutes les armes utiles à la lutte contre la douleur, les méthodes «comportementales» connaissent un développement essentiel, souvent mal connu. Face à la douleur rebelle, on peut s'aider soi-même, beaucoup plus qu'on ne le pense. Plutôt que d'attendre passivement que les traitements fassent leur effet, le patient peut collaborer activement à sa propre amélioration. L'objectif de cet ouvrage est de décrire la façon de se comporter face à une douleur rebelle. Il s'adresse à ceux qui souffrent mais aussi à leurs familles.

Les conceptions sur la douleur ont évolué depuis les vingt dernières années. Les découvertes les plus fascinantes concernent la mise en évidence de mécanismes physiologiques et psychologiques qui contrôlent puissamment la douleur. Dans quelles circonstances ces mécanismes sont-ils mis en jeu ? Cet ouvrage tente de répondre par des notions pratiques.

L'expérience de la consultation de la douleur de l'hôpital Saint-Antoine nous a convaincus, médecins et malades, qu'apprendre à contrôler une douleur persistante et à mieux vivre avec est possible, même lorsque la douleur était devenue insupportable. Les malades qui souffrent de douleurs rebelles ont souvent « plus de douleur qu'ils ne devraient ». Bien sûr, ils essayent de faire au mieux. Mais les idées reçues concernant la douleur sont souvent inexactes, sources de malentendus, parfois en total désaccord avec les conceptions des spécialistes. Mal compris, mal acceptés, les traitements et les conseils ont peu de chances d'être efficaces. Au contraire, ils peuvent même avoir des effets inverses.

La seule lecture de cet ouvrage pourra aider certains patients. D'autres auront besoin d'une aide spécialisée. Tous devraient pouvoir accepter l'idée qu'apprendre à mieux contrôler une douleur est possible. Nous savons que pour atteindre ces objectifs il faut du temps, de la part des patients comme des médecins. Nous souhaitons que cet ouvrage aide à franchir plus vite les étapes.

Tout en respectant les données scientifiques actuelles, le ton de l'ouvrage se veut simple, accessible*. Délibérément, nous avons conservé celui des entretiens lors des consultations individuelles ou des réunions en groupe.

---

* Pour réaliser le difficile compromis entre la rigueur scientifique et une conceptualisation accessible et efficace, nous avons pris en compte les remarques formulées par Turk *et al.* (1983, p. 247) (70).

Les chiffres entre parenthèses renvoient aux ouvrages de la bibliographie (*N.d.E.*).

INTRODUCTION

Vous vous plaignez d'un «mal de dos», d'une «névralgie», d'un «mal de tête» ou de toute autre douleur. Malgré les traitements successifs, votre douleur persiste, peut-être déjà depuis plusieurs années. Vous avez déjà consulté plusieurs médecins, généralistes, spécialistes... Vous avez subi de nombreux examens... parfois plusieurs hospitalisations... Vous avez tenté de nombreux médicaments et même les médecines dites «douces» ou «parallèles». Les médecins vous disent : «Tous les examens utiles ont été faits»... Pourtant votre douleur persiste... Les calmants ont peu d'effets... Vous en faites peut-être une consommation excessive... Vous vous interrogez sur la cause exacte de cette douleur. Y a-t-il eu des erreurs ? Tous les examens ont-ils réellement été faits ? Quel est le bon diagnostic ? Où s'adresser ? Où trouver le bon traitement ?

La persistance de cette douleur peut vous fatiguer, vous inquiéter, vous rendre plus nerveux, plus irritable, vous démoraliser... On a pu vous dire : «On ne voit rien»; «C'est dans la tête !»; «C'est psychique»; «C'est imaginaire»; «Allez voir un psychiatre»... Sans doute avez-vous le sentiment de ne pas être compris, de ne pas être cru... POURTANT

VOTRE DOULEUR, CELLE QUE VOUS RESSENTEZ, EST BIEN RÉELLE !

Si certaines observations de cette description vous concernent, il est temps que vous sachiez ce qu'est une douleur rebelle et persistante. Votre cas n'est pas unique. De nombreux patients éprouvent des difficultés comparables. CETTE DOULEUR EST DEVENUE UNE MALADIE À PART ENTIÈRE. Ses conséquences agissent en retour et accentuent la douleur. De multiples cercles vicieux entretiennent, amplifient la douleur. Cet ouvrage se propose de vous informer sur ce que vous pouvez faire pour vous aider. Il expose comment on peut apprendre à mieux faire face, à contrôler une douleur rebelle aux traitements habituels. Bien entendu, la démarche que nous développons ici se veut complémentaire et non compétitive des autres traitements utiles de la douleur.

PREMIÈRE PARTIE

Comprendre

I

La douleur normale

Tout individu a fait l'expérience de la douleur : après une piqûre, une coupure, une blessure... Ces douleurs de courte durée peuvent être considérées comme « normales ». Il nous faut examiner les mécanismes de la douleur « normale » avant d'aborder ceux, plus complexes, de la douleur « rebelle ». Précisons clairement que la douleur, de courte durée, donne une idée incomplète et parfois inexacte du phénomène qui nous intéresse ici : la douleur rebelle, persistante. Tout au long de cet ouvrage, nous aurons à opposer ces deux types de douleurs : l'une, signal d'alarme, l'autre, maladie à part entière. La douleur signal d'alarme est le témoin d'une lésion ou d'un traumatisme. La douleur-maladie est avant tout un dérèglement du système de perception de la douleur.

1) À quoi sert la douleur ?

On peut admettre qu'une douleur brève, de courte durée, est utile puisqu'elle informe l'individu d'un danger, d'un risque de lésion, d'un mauvais fonctionnement de l'organisme. LA DOULEUR A UNE FONCTION DE SIGNAL D'ALARME. Si l'on supprime sa cause, blessure ou maladie, la douleur doit logiquement disparaître.

Un système sensoriel, spécialisé, de décodage de la douleur, informe l'individu sur son environnement et sur l'état de son organisme (2, 11). Il lui permet de détecter et d'éviter des dangers présents ou potentiels. Il correspond à la DOULEUR SENSATION (ou perception). Ce système permet d'analyser les caractères de la douleur (brûlure, torsion, décharges électriques…), de localiser l'endroit du corps concerné par la douleur, d'apprécier son intensité (plus ou moins forte), sa durée (brève, intermittente, prolongée…). Ce qui caractérise la douleur, en comparaison avec d'autres sensations, visuelles ou auditives par exemple, c'est son désagrément. Par nature, la douleur ne laisse pas indifférent. Elle est pénible, difficile à supporter. C'est le désagrément qui met en alerte l'individu et qui l'informe du danger. C'est le désagrément qui le pousse à éviter toute cause de douleur. LA DOULEUR EST ÉGALEMENT UNE ÉMOTION.

Toucher un plat chaud expose à un risque de brûlure. Si la température est modérée, la perception se limitera à une simple sensation de chaleur. La probabilité de lésion locale, c'est-à-dire de brûlure, est nulle. C'est le caractère désagréable qui constitue la limite entre la sensation simple de chaleur et la douleur proprement dite. Cette frontière qui signale un danger de lésion est le SEUIL DE LA DOULEUR. Il est extrêmement variable : non seulement d'un individu à l'autre, mais également d'un moment à l'autre chez le même individu. Il varie sous l'influence de multiples facteurs physiologiques et psychologiques.

Face à l'agression d'une douleur, l'organisme va pouvoir réagir et se protéger grâce à un ensemble de RÉACTIONS DE PROTECTION, instinctives, utiles à la survie. Un premier mécanisme de défense est réflexe. Une contraction musculaire va retirer la région du corps du danger potentiel. La main qui se brûle est rapidement retirée. Ce réflexe de retrait ne nécessite pas la prise de conscience. Il est automatique. Il s'observe même pendant le sommeil.

Parvenue au cerveau, l'information devient consciente. C'est la perception consciente qui définit véritablement la douleur. Sans prise de conscience, on ne peut parler de douleur. Au niveau des centres du cerveau, l'information provoque un ensemble de réactions physiologiques et comportementales. Un enfant qui vient de se brûler pousse un cri, pleure, réclame un soulagement, un calmant, agite la main ou va la mettre sous l'eau froide... Ces manifestations informent l'entourage qu'il a mal, qu'il faut le soulager, que le plat est brûlant.

Lorsque des situations analogues se présenteront, il sera utile d'éviter l'apparition de la douleur et d'agir préventivement. LE CERVEAU VA METTRE EN MÉMOIRE LA DOULEUR ET SES CIRCONSTANCES D'APPARITION. Dès l'enfance, et pendant toute l'existence, le cerveau va mémoriser la douleur mais aussi les objets, les situations, les événements qui exposent l'organisme à des risques de lésion. Très rapidement, chez le jeune enfant, la vision d'un objet tranchant, d'une seringue, ou même d'une blouse blanche peut évoquer des manifestations de peur, d'appréhension de la douleur.

Les expériences douloureuses passées déterminent le niveau du seuil de douleur de l'individu. Si on élève un jeune chien dans des conditions l'empêchant de sentir la douleur, il se comporte comme s'il n'avait pas appris la notion du danger. Il pourra par exemple laisser indifféremment son museau dans la flamme d'un feu sans manifester de réactions de douleur (50). Les réactions à la douleur sont donc, pour une part, apprises au long de l'existence.

L'individu cherche à éviter les situations, les activités qui peuvent causer la douleur. À l'inverse, il recherche ce qui est cause de satisfaction ou d'agrément. C'est le principe bien connu de la «carotte et du bâton». Les avantages et inconvénients d'une action vont influencer cette action. C'est l'une des bases de l'apprentissage (61). Les conséquences d'un comportement agissent en retour sur ce comportement. Si les conséquences sont défavorables («le bâton» : une douleur par exemple), le comportement a tendance à diminuer et à disparaître. Si les conséquences sont favorables («la carotte» : absence de douleur, récompense plaisante), le comportement a tendance à se développer, à se répéter. La douleur modifie le comportement de l'individu.

2) *Les voies de la douleur*

Dans les conditions «normales», la douleur résulte d'un message qui a pris naissance à la périphérie pour aller informer les centres du cerveau (2, 11, 50). Examinons plus en détail les étapes successives de cette transmission (Fig. 1).

Toute modalité de stimulations physiques (chaud, froid, pression...) peut devenir douloureuse si elle est suffisamment intense. Appliquée sur la peau, la stimulation provoque l'excitation de RÉCEPTEURS. Les récepteurs sont les extrémités nerveuses qui transforment la stimulation en messages nerveux (influx nerveux). Il existe des récepteurs spécialisés au chaud, au froid, au toucher, comme il en existe pour la lumière au niveau de l'œil, et pour le son au niveau de l'oreille. Pour la douleur, il ne semble pas exister de catégorie unique de récepteurs. Certains sont spécialisés et ne sont excités que par des stimulations intenses. D'autres sont ceux du chaud, du froid ou du toucher mais stimulés intensément. On trouve des récepteurs à la douleur dans pratiquement tous les tissus : peau, muscles, ligaments, organes.

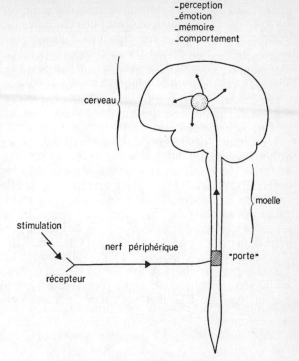

Fig. 1 : Schéma des voies de transmission
de la douleur.

Bien que la prise de conscience s'effectue au niveau du cerveau, son excitation directe ne provoque aucune douleur. Ce qui paraît un paradoxe se conçoit aisément du fait de l'absence de récepteur à la douleur au niveau du cerveau.

La lésion d'un tissu libère diverses substances chimiques. Certaines d'entre elles participent à la

23

réaction inflammatoire. Des substances dites algogènes, telles que la bradykinine et les prostaglandines, excitent les récepteurs à la douleur. De nombreux antalgiques, dont le chef de file est la classique ASPIRINE (acide acétylsalicylique), agissent au niveau des récepteurs périphériques et des substances algogènes. Ils possèdent une action inhibitrice sur la synthèse des prostaglandines. Ces antalgiques, que l'on nomme périphériques, agissent donc localement, au niveau du foyer de lésion.

L'excitation des récepteurs donne naissance à des influx nerveux qui sont acheminés vers la MOELLE ÉPINIÈRE par les fibres nerveuses contenues dans les nerfs périphériques (Fig. 1). Au niveau de la moelle épinière s'effectuent plusieurs relais. Le terme scientifique pour ces relais est « synapse » (Fig. 2). Au niveau d'une synapse, la transmission de l'influx nerveux d'un neurone à l'autre se fait par l'intermédiaire d'une substance chimique : le neurotransmetteur. Le transmetteur libéré se fixe sur un récepteur situé sur le second neurone. Chaque récepteur est excité par un type de transmetteur donné, par exemple

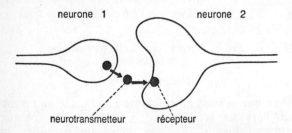

Fig. 2 : Synapse. Le message nerveux se propage d'une cellule nerveuse (ou neurone) à l'autre par une synapse grâce à un neurotransmetteur, substance chimique qui se fixe sur un récepteur situé sur le second neurone.

l'acétylcholine, la dopamine, la noradrénaline ou la sérotonine... Parvenu au niveau de la moelle, le message douloureux va exciter des neurones moteurs qui provoquent la contraction musculaire réflexe. C'est la réaction de retrait protectrice que nous avons évoquée plus haut.

Le message douloureux va ensuite monter vers les CENTRES SUPÉRIEURS DU CERVEAU. De nombreux centres du cerveau vont être informés et seront responsables des diverses réactions psychologiques et comportementales causées par le message douloureux. Il ne nous paraît pas utile d'entrer ici dans une description détaillée de ces différents centres. Des informations complémentaires pourront être trouvées dans d'autres ouvrages (50). Certains centres du cerveau ont un rôle dans la perception de la douleur, d'autres dans la réaction émotionnelle. Le message douloureux va être comparé avec d'autres expériences antérieures, mises en mémoire. La réactivité individuelle face à la douleur reflète les influences du milieu culturel, social ou familial. On sait que, pour certaines civilisations, comme celles du pourtour du bassin méditerranéen, se plaindre de façon démonstrative est bien accepté. À l'inverse, dans les civilisations orientales, on encourage une attitude stoïque, d'indifférence face à la douleur (27).

3) Les systèmes de contrôle

Le message douloureux ne se propage pas de la périphérie jusqu'au cerveau comme le long d'un câble téléphonique. Le foyer de lésion n'est pas relié directement au cerveau. Il existe de nombreux relais. Ces relais peuvent modifier le message douloureux : soit l'amplifier, soit le freiner. C'est la plus importante notion acquise sur la douleur depuis les vingt dernières années (49). Les relais (c'est-à-dire les synapses) se situent au niveau de la moelle et dans les différents centres du cerveau. Les synapses sont soit excitatrices, soit inhibitrices. L'existence de systèmes freinant la douleur a une conséquence clinique capitale. On peut calmer la douleur de deux façons complémentaires : soit en interrompant la transmission, soit en renforçant l'efficacité des synapses inhibitrices (42, 43). Certains médicaments, mais également des techniques physiologiques et psychologiques, agissent en renforçant les mécanismes freinateurs, inhibant la douleur (Fig. 3).

En 1965, Melzack et Wall publient une nouvelle

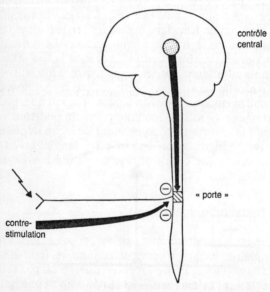

Fig. 3. Les systèmes freinateurs de la douleur : contrôle au niveau de la porte par les contre-stimulations périphériques et les contrôles d'origine centrale.

théorie de la douleur, la THÉORIE DE LA PORTE (en anglais *Gate Control Theory*) (49). Cette théorie marque une étape importante dans la compréhension des mécanismes de la douleur et de ses traitements. Un des éléments marquants de cette théorie est l'importance accordée à l'action inhibitrice des sensations non douloureuses sur la douleur. Les sensations rassurantes, non désagréables, par exemple l'effleurement de la peau ou l'application de chaleur, entrent en «concurrence» avec la douleur. Si l'on renforce les sensations rassurantes, la douleur est atténuée, parfois supprimée. La perception de la douleur résulte donc d'un déséquilibre entre des messages activateurs de la douleur et des messages freinateurs. Melzack et Wall ont comparé le rôle de la moelle épinière à une PORTE. La porte s'ouvre sous l'influence des messages activateurs et se ferme sous l'influence des messages inhibiteurs. La porte est plus ou moins ouverte sous l'influence de deux tendances opposées. La «balance penche d'une côté ou de l'autre» en fonction d'influences excitatrices ou freinatrices (50) (Fig. 4).

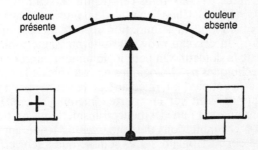

Fig. 4 : La douleur dépend de l'équilibre entre des influences excitatrices (+) et inhibitrices (–). On peut comparer le système à celui d'une porte ou d'une balance.

La vie courante est riche d'observations illustrant le CONTRÔLE DE LA PORTE. Qui n'a fait l'expérience que se frotter ou masser une région contuse atténuait, dans l'instant, la douleur ? Cette réaction instinctive active renforce des sensations cutanées incompatibles avec la douleur. Les sensations rassurantes captent l'attention et «masquent» la douleur. La théorie de la porte a fourni une base scientifique aux diverses techniques de CONTRE-STIMULATION. On désigne ainsi les multiples procédés qui visent à atténuer une douleur grâce à la sensation qu'ils provoquent (application de chaud, de froid, massages, stimulations électriques...). Elle est aussi à l'origine d'une technique nouvelle, la NEUROSTIMULATION TRANSCUTANÉE (15). Son principe est de stimuler électriquement la peau ou un nerf. La sensation produite est à type de fourmillements, de vibrations. Nous reviendrons plus loin sur ces techniques physiologiques de contrôle de la douleur (p. 148).

La «porte» ne se ferme pas exclusivement sous l'influence de sensations non douloureuses. Elle se ferme également sous l'influence d'un contrôle central exercé par différents centres du cerveau (6, 11, 42, 43) (Fig. 3). Chez l'animal, de nombreux travaux ont établi que la stimulation directe de certains centres du cerveau provoque une puissante inhibition de la douleur. On peut logiquement penser que les techniques psychologiques de contrôle de la douleur agissent par l'intermédiaire de tels systèmes inhibiteurs agissant sur la «porte» médullaire (5). La sérotonine est l'un des neurotransmetteurs participant à ces inhibitions descendantes. L'action antalgique des ANTIDÉPRESSEURS semble due à leur effet sur la sérotonine, neurotransmetteur intervenant dans le contrôle inhibiteur de la douleur. Les antidépresseurs sont fréquemment prescrits dans les douleurs rebelles. Ils sont utiles, non seulement comme antidépresseurs, mais également pour leur action directe contre la douleur.

De nombreux arguments complémentaires sont venus confirmer l'existence des contrôles inhibiteurs. Le système le mieux étudié actuellement est celui des ENDORPHINES. Une étape importante a été franchie lorsqu'il a été montré que l'organisme sécrète des substances naturelles qui se fixent sur les récepteurs à la morphine. Ces récepteurs existent dans diverses régions du cerveau et de la moelle épinière. Toute une famille de substances a été décrite sous les noms d'enképhalines et d'endorphines (mot forgé par la contraction d'endogène et morphine). Certaines endorphines agiraient comme des transmetteurs, d'autres comme des hormones. À ce jour, il n'existe pas encore d'application concrète de ces recherches sous la forme de nouveaux antalgiques. L'activité analgésique des endorphines n'apparaît pas supérieure à celle de la morphine. Une des raisons est qu'elles sont rapidement détruites par une enzyme, l'enképhalinase. Le meilleur analgésique reste donc la MORPHINE, substance extraite de l'opium provenant d'une plante, le pavot. Ses propriétés antalgiques sont connues depuis des siècles. Des espoirs reposent sur les possibilités de synthèse d'une molécule nouvelle qui posséderait les avantages de la morphine sans ses inconvénients.

Dans quelles circonstances les endorphines sont-elles mises en jeu? Il semble actuellement que ce soit principalement dans les situations stressantes, d'urgence, que l'organisme libère des endorphines pour inhiber la douleur (69). En première analyse, la fonction de la douleur paraît celle de signal d'alarme. La douleur d'une entorse est utile car elle force au repos. Cette immobilisation est bénéfique car elle favorise la réparation des tissus lésés. Cette utilité «apparente» est relative selon les circonstances.

Imaginons un individu qui fuit l'agression d'un animal dangereux et qu'une entorse survienne. Il devient encore plus utile que la douleur ne fasse plus obstacle à la fuite. Dans de telles circonstances, le système nerveux paraît capable de neutraliser la douleur. Lorsque l'organisme doit faire face à une situation plus urgente que la douleur, il réagit en libérant des endorphines.

L'ouverture ou la fermeture de la porte dépendent donc d'influences facilitatrices ou inhibitrices diverses. Le contrôle de la douleur repose sur ces différents systèmes physiologiques d'origine périphérique et centrale (Fig. 3).

4) Mise en jeu des systèmes freinateurs

La découverte de mécanismes de contrôle inhibiteurs de la douleur fait s'interroger sur leurs conditions de mise en jeu. Nous avons déjà évoqué les effets des contre-stimulations, de situations stressantes. Deux autres catégories d'observations montrent l'influence des processus psychologiques sur les mécanismes physiologiques de la douleur.

A) QU'EST-CE QUE L'EFFET PLACEBO ?

Le mot PLACEBO vient du latin et veut dire « je plairai ». Avant de disposer de traitements réellement actifs, les médecins prescrivaient des substances sans réelle efficacité démontrée. Ces traitements prescrits « pour plaire » ont été appelés des « placebo ». On désigne aujourd'hui par placebo les substances dépourvues d'activité physiologique véritable. Il peut s'agir par exemple de sérum physiologique ou d'eau sucrée… Tout nouveau traitement de la douleur, pour montrer son efficacité, doit être comparé à une substance contrôle PLACEBO. Ni le malade, ni le médecin ne doivent pouvoir déterminer si le médicament prescrit est vrai ou placebo. C'est uniquement en respectant ces conditions, que l'on désigne par étude en « double aveugle », que l'on peut valablement faire la preuve de la réelle efficacité d'un traitement.

Pourquoi les études en « double aveugle avec placebo » sont-elles nécessaires ? Ne peut-on trouver d'autres solutions que de « tromper » les malades qui vont recevoir un « faux » traitement ? La raison est la grande efficacité de l'EFFET PLACEBO sur la douleur. Quelle que soit l'origine d'une douleur : opération, traumatisme, accouchement, cancer... en moyenne de 30 à 60 % des malades recevant le traitement « placebo » vont être améliorés.

Il est tout a fait inexact de penser que l'effet placebo ne concerne que des douleurs peu intenses ou des douleurs « imaginaires ». En fait, la puissance de l'effet placebo témoigne des ressources étonnantes dont dispose le système nerveux pour se défendre contre la douleur. L'effet placebo est un argument solide en faveur des possibilités du contrôle psychologique de la douleur. Actif contre des douleurs physiques, il montre que des mécanismes à point de départ psychologique influencent des mécanismes physiologiques, neurobiologiques.

Quels sont les mécanismes de l'effet placebo ? Certaines études concluent à une libération d'endorphines (44). Cette hypothèse fait l'objet de controverses (32). Les facteurs psychologiques qui déterminent l'effet placebo sont mieux connus. Le patient doit être réassuré sur la non-gravité de sa maladie. Les avis du médecin doivent lui inspirer confiance. Il ne doit plus douter d'une évolution favorable. Il est plein d'espoir. Tous ces facteurs : réassurance, confiance, attente favorable, espoir... réduisent l'anxiété (8).

Opposé à l'effet placebo, il existe un effet négatif des traitements, l'effet NOCEBO. Il se manifeste par exemple par une mauvaise tolérance du traitement. Le «médicament», en fait dépourvu de toute activité, paraît produire des effets secondaires indésirables.

Effets placebo ou nocebo ne s'observent pas exclusivement pour des substances inactives. Tout médicament, tout traitement, agit en combinant ses effets propres, physiologiques et des effets de type placebo ou nocebo.

B) LES TECHNIQUES MENTALES

Toutes les civilisations ont su élaborer des techniques mentales pour contrôler la douleur. Dans les pays occidentaux, l'HYPNOSE est la plus connue (4, 33). Au siècle dernier, elle était utilisée pour permettre certaines interventions chirurgicales. La découverte de l'anesthésie chimique a éclipsé l'intérêt pour l'hypnose. Il est en général admis qu'elle peut, dans certaines conditions, modifier la perception d'une douleur. En l'absence de données scientifiques, cette technique est restée entourée de préjugés défavorables ou au contraire d'enthousiasme excessif. La découverte des systèmes freinateurs a fait reconsidérer les possibilités des techniques psychologiques et a conduit à des expérimentations (5, 33).

On a cherché à relier les effets des techniques «hypnotiques» à la libération d'endorphines. Cette hypothèse semble devoir être écartée (5). Ces recherches ont eu le mérite d'objectiver expérimentalement les effets analgésiques des techniques mentales de contrôle de la douleur. Ces recherches, effectuées en laboratoire, ont permis de mieux préciser certains mécanismes psychophysiologiques impliqués.

On ne saurait prétendre connaître à ce jour tous les mécanismes de la douleur. Toutefois, il ne fait plus de doute que l'organisme dispose de ressources physiologiques et psychologiques pour modifier la perception de la douleur. Le patient qui souffre peut bénéficier de cette évolution des connaissances. Les techniques actuelles abandonnent progressivement leurs côtés empiriques et se basent sur une meilleure compréhension des mécanismes en cause. C'est dans cet esprit que nous allons évoquer les possibilités de contrôle de la douleur rebelle.

II

Douleur réelle ou imaginaire

Quelle personne souffrant de douleur rebelle n'a, un jour ou l'autre, entendu dire (ou cru comprendre) que sa douleur serait «imaginaire»? La croyance qu'il existe des douleurs «bien réelles» et d'autres «imaginaires» constitue un piège redoutable qui perturbe très fréquemment les relations entre le patient, la famille et les médecins (57, 64, 67, 70).

1) Douleur bien réelle
pour celui qui l'endure

La douleur ne s'objective pas matériellement. Aucun examen ne permet de montrer son existence ou de chiffrer son importance. Il n'existe pas de «thermomètre pour douleur». On ne peut la mesurer comme la pression artérielle ou la température. La douleur est un phénomène individuel, personnel, privé, au même titre que la tristesse, la peur ou tout autre sentiment. Elle est avant tout ce que la personne peut en dire. Élaborée par le système nerveux, la douleur est une perception. Elle se place parmi les processus neuropsychologiques! Pourtant, c'est une réalité tout à fait «objective» pour celui qui l'éprouve. Psychologique est un mot tabou, source de malentendus. Nous tenterons de l'utiliser avec prudence à propos de la douleur. Psychologique ne signifie pas imaginaire ou immatériel. Il ne fait pas de doute que les phénomènes «subjectifs» ont une traduction objective dans le système nerveux. Seuls des examens spécialisés et très complexes pourraient montrer la douleur sous la forme de changements d'activités de certains centres du cerveau. Dans l'état actuel des connaissances, il ne s'agit pas d'examens que l'on puisse réaliser en routine.

Disons clairement que pour nous, TOUTES LES DOULEURS SONT RÉELLES. Les cas de simulation, les cas où une personne fait semblant, joue la comédie, invente sa douleur, sont exceptionnels, jamais durables. Toutefois, il n'y a pas «une» mais «des» douleurs. Leurs mécanismes sont extrêmement variés. Certains sont très éloignés du modèle de la douleur «normale». Toutes les douleurs sont réelles, que le mécanisme initial soit physique ou psychologique. Le patient ressent toujours «objectivement» la douleur dans son corps. Mais cette «réalité» est une perception, c'est-à-dire un processus élaboré par le système nerveux.

On ne peut calculer un niveau normal de douleur pour une maladie donnée. La littérature médicale est riche d'exemples qui démontrent qu'IL N'Y A PAS DE BONNE CONCORDANCE ENTRE L'ÉTENDUE D'UNE LÉSION ET L'IMPORTANCE D'UNE DOULEUR (50, 73). Les différences peuvent être considérables d'un individu à l'autre. Pour des images radiologiques similaires, les degrés de douleur sont éminemment variables. Citons en exemple l'infarctus du myocarde ou l'accouchement qui peuvent rester indolores ou devenir insupportables. Parfois la douleur paraît manquer alors qu'il y a manifestement une lésion, confirmée par tous les examens. Le phénomène dit d'anesthésie de combat est un exemple classique de lésion sans douleur. Les soldats, pris dans le feu de l'action du combat, peuvent être victimes de traumatismes importants mais indolores. À l'inverse, une douleur peut être extrêmement handicapante, alors que tous les examens biologiques et radiologiques demeurent rassurants, tout au moins pour les médecins. Comment expliquer de telles différences? Ce que l'on admet aujourd'hui, c'est que la relation entre la douleur et l'étendue des lésions est incertaine (73). L'explication tient à ce que, dans chaque cas, le système de transmission de la douleur est sollicité de façon différente. L'équilibre des systèmes excitateur et freinateur n'est pas le même. Cette mauvaise relation lésion-douleur entretient en partie l'idée qu'il existe des douleurs réelles et que d'autres seraient imaginaires.

Dans les conditions «normales», la douleur est assimilée à la cause physique qui lui a donné naissance. Le même mot «brûlure» désigne indifféremment la douleur (la perception) et la lésion (la cause). On raisonne comme s'il y avait obligatoirement identité, parfaite correspondance entre la perception et la cause. Il est relativement facile de décrire une douleur lorsque sa cause est «externe», lorsque d'autres informations, en particulier visuelles, aident à une représentation claire. Lorsque l'origine et le mécanisme sont mal compris, l'interprétation de la douleur peut facilement induire en erreur. La douleur est là, mais dans quelle mesure ce qui est perçu correspond bien à la réalité?

Dans la zone où se localise la douleur: «Tout va bien»; «On ne voit rien!» Ce paradoxe peut s'expliquer par des «erreurs» du système nerveux. Dans les affections neurologiques par exemple, la douleur peut se localiser dans le membre «fantôme» ou dans une zone dépourvue de sensibilité. Comment comprendre ces douleurs? Les notions habituelles sur la «douleur normale» sont-elles suffisantes? S'agit-il de douleurs «réelles», «imaginaires»? Avant que le mécanisme de telles douleurs soit mieux compris, elles étaient souvent qualifiées d'«illégitimes» (p. 87). De nombreuses douleurs rebelles ne peuvent être comprises sur le modèle de la douleur «normale». D'autres mécanismes plus complexes sont en cause. Souvent, lorsqu'une douleur résiste aux traitements, sa cause paraît obscure. Les avis médicaux, les examens ne fournissent pas d'explications satisfaisantes. L'incertitude se conjugue avec la douleur. Le patient peut s'entendre dire : «D'après les radios, vous ne devriez pas avoir mal»; «L'intervention est parfaitement réussie, vous n'avez plus de vraies raisons d'avoir mal.» Sans autres explications, le désarroi du patient ne peut que s'accentuer. «Ma douleur serait donc imaginaire? Pourtant je la sens bien réelle.» On imagine volontiers toutes les interrogations sans réponse, les interprétations erronées... C'est alors que le cercle vicieux de l'anxiété se renforce.

2) Imaginaire pour l'entourage

Lorsqu'une personne dit avoir mal, il n'y a aucune raison de suspecter qu'elle n'éprouve pas ce qu'elle décrit. La douleur n'est pas mesurable. Le seul phénomène «observable», ce sont les plaintes, les changements dans le comportement. Il ne saurait y avoir de preuves formelles sur la «réalité» d'une douleur. Les autres ne peuvent vérifier si ce qu'ils observent traduit bien ce que la personne ressent. À quels signes pourraient-ils déterminer si quelqu'un exagère sa douleur ou au contraire prend sur lui? Quels arguments objectifs permettraient d'établir la «réalité» de la douleur? Comment vérifier la bonne relation entre ce que les autres observent, ce que le malade éprouve et ce que les examens montrent ?

La famille, les amis, les collègues de travail se mettent à spéculer. Ils interprètent, à leur façon, les variations de comportement. Telle personne a moins mal lorsqu'elle est absorbée dans une activité plaisante. Cela veut donc dire que la douleur est imaginaire. FAUX ! Toutes douleurs, même celles étudiées en laboratoire, peuvent s'atténuer sous l'effet de la distraction, de la diversion de l'attention. Les contrariétés augmentent le niveau de douleur. Cela veut donc dire que la douleur est imaginaire. ÉGALEMENT FAUX ! La douleur est soulagée par un traitement placebo. Cela veut donc dire que la douleur est imaginaire. TOUJOURS FAUX ! Aucun de ces arguments ne permet d'avancer qu'une douleur serait plutôt imaginaire ou plutôt réelle.

Ce qui ne fait pas de doute, c'est que la suspicion de l'entourage contribue fortement à abaisser la tolérance du patient à sa douleur. Comment rester indifférent à des remarques telles que : « Tu t'écoutes trop ! » ; « Tu n'as qu'à ne pas y penser ! » ; « Oublie donc ta douleur » ; « C'est devenu une véritable obsession ! »… Quelle attitude adopter pour être cru, compris ? Comment montrer que sa douleur est bien réelle ? Ces interrogations continuelles sur la « réalité » d'une douleur constituent un piège redoutable. Le malade ne peut abandonner l'idée qu'il doit être cru, reconnu, compris. Quelle que soit la cause de sa douleur, CELUI QUI SOUFFRE NE PEUT ACCEPTER L'IDÉE D'ÊTRE SOUPÇONNÉ D'INVENTER, de jouer la comédie. S'il change son attitude, ne donnerait-il pas raison à ceux qui le suspectent de ne pas avoir vraiment mal ? Cette situation d'impasse l'empêche de lutter valablement contre sa douleur. Le patient ne peut adopter un comportement adapté. On comprend que ces interprétations doivent être clarifiées, car le

39

rôle de l'entourage est au contraire d'encourager la personne à adopter un comportement adapté pour «faire face».

3) Psychologique ne veut pas dire imaginaire

Pour celui qui souffre dans son corps, il n'est pas facile d'admettre la participation de facteurs psychologiques. Sont-ils la cause ou la conséquence ? C'est un peu l'histoire de «la poule et l'œuf». Qui a commencé ? La réponse n'est pas toujours simple. Par nature, toute douleur rebelle a des aspects physiques et psychologiques à prendre en compte. Il est classique de dire que si c'est au plan physique que l'on ressent la douleur, c'est le psychisme qui la supporte.

L'idée que l'on se fait du rôle, partiel ou exclusif, des facteurs psychologiques dans une douleur est en général inexacte. Si la douleur ne s'explique pas au plan «lésionnel», on suspecte le patient de ne pas réellement ressentir ce qu'il dit ressentir. Même les douleurs d'origine initiale psychologique sont toujours «réellement» ressenties. Celles qui surviennent après un choc affectif, un stress, des tensions importantes ou un état dépressif sont tout à fait «réelles». Celui qui souffre peut ne pas faire le lien avec son état moral, car la douleur ressentie signifie avant tout «lésion dans le corps». D'ailleurs, les médecins consultés n'ont-ils pas souvent raisonné de même ?

L'opposition douleur réelle/imaginaire sous-entend la séparation dépassée entre le corps et l'esprit, le physique et le psychisme, le somatique et le psychologique… L'INDIVIDU QUI SOUFFRE DOIT ÊTRE ENVISAGÉ DANS SON UNITÉ. On ne peut appréhender valablement la douleur sans s'intéresser à celui qui la ressent. Il n'y a donc pas à choisir entre le somatique et le psychologique. Ces deux composantes doivent systématiquement être prises en compte. Cette unité du «corps et de l'esprit» explique les interactions du «psychologique» et du «physique» et en particulier les effets du «psychologique» sur la douleur d'origine physique. Dans les consultations de la douleur, on entend souvent la remarque suivante : «Comment voulez-vous que je puisse faire quelque chose pour ma douleur puisqu'elle est physique?» En arrière-pensée, il faut comprendre : «Si vous me proposez d'apprendre à contrôler ma douleur, c'est que vous pensez qu'elle doit être imaginaire.»

Celui qui souffre essaie toujours de réagir au mieux. Mais ses réactions sont-elles toujours parfaitement adaptées? Contrôler une douleur n'est pas seulement affaire de bonne volonté. C'est un apprentissage progressif, qui nécessite du temps et de la persévérance. Il ne s'agit pas de croire au miracle. Il est faux de penser que des douleurs d'origine physique ne peuvent bénéficier des techniques de contrôle. L'expérience tend d'ailleurs à montrer le contraire. C'est plus souvent lorsque des motivations inconscientes, non apparentes, sont en jeu que la douleur résiste aux techniques d'autocontrôle, de même qu'aux autres thérapeutiques.

La confusion entre psychologique et imaginaire conduit certaines personnes à refuser catégoriquement toute participation d'ordre psychologique dans toute douleur. Malgré les explications, elles restent ancrées dans cette alternative de douleurs «soit réelles, soit imaginaires». Pour certains, la raison doit être recherchée dans des motivations inconscientes. Pour d'autres, elle provient d'une mauvaise compréhension des conceptions sur la douleur rebelle et sur ce qui peut être fait.

Bien entendu, la cause initiale, physique ou non, doit toujours être recherchée minutieusement. Ce que le patient ignore, c'est que souvent les examens sont demandés plus pour éliminer des causes graves que pour préciser des mécanismes intimes responsables. Dans la grande majorité des cas, un examen clinique minutieux, un entretien détaillé, quelques examens complémentaires suffisent pour établir un diagnostic correct.

Une douleur peut persister pour des raisons autres que la cause initiale. Les patients pensent bien entendu que la cause initiale est toujours la seule responsable. En fait, toute douleur qui se prolonge induit des conséquences secondaires. CES CONSÉQUENCES AGISSENT EN RETOUR SUR LA DOULEUR ET DEVIENNENT DES FACTEURS D'ENTRETIEN. Pour soulager une douleur rebelle, on doit donc en analyser toutes les facettes. Il faut pouvoir contrôler chaque composante : physique, psychologique et comportementale. Cette approche «globale» ne signifie pas pour autant que la douleur est «imaginaire». Certains patients ne comprennent pas l'intérêt d'une telle démarche. Ils espèrent que les médecins cherchent et trouvent enfin la «vraie cause», la cause unique responsable. Ils pensent naïvement qu'il suffit de la faire disparaître pour que la douleur guérisse définitivement. C'est parfois possible. C'est malheureusement loin d'être la règle en matière de douleur rebelle et persistante.

III

La douleur-maladie

Entre une douleur « normale » et une douleur persistante, rebelle, il y a plus de différences que de similitudes (Tableau I). UNE DOULEUR REBELLE, PERSISTANTE, N'EST PAS SIMPLEMENT UNE DOULEUR « BRÈVE » QUI DURE. La persistance de la douleur va induire des conséquences physiques, psychologiques et comportementales qui deviennent partie intégrante de la douleur. C'est la DOULEUR-MALADIE (64, 65).

1) Une douleur auto-entretenue

Légitimement, on pourrait penser que si l'on fait disparaître la cause de départ, tout devrait rentrer dans l'ordre. Malheureusement, l'expérience montre que, dans de nombreux cas, ce n'est pas possible. Après plusieurs mois de persistance, le rôle des conséquences peut devenir plus important que celui de la cause initiale. La douleur peut persister même si les traitements de la cause initiale sont bien conduits. Il devient alors utile, car plus efficace, de CONSIDÉRER LA DOULEUR PERSISTANTE COMME UNE MALADIE EN SOI.

Tableau I

Comparaison des douleurs normales et persistantes

DOULEUR NORMALE	DOULEUR-MALADIE
COURTE DURÉE	PERSISTANTE
CAUSE UNIQUE	FACTEURS MULTIPLES
UTILE	INUTILE
SIGNAL D'ALARME	FAUSSE ALARME
AUTORÉPARATION	AUTO-ENTRETIEN

La douleur qui persiste n'a plus d'utilité. Une fois l'alarme donnée, quelle est sa raison d'être ? La cause de départ a eu le temps d'être diagnostiquée, analysée grâce aux examens cliniques et complémentaires. Dans de nombreux cas, il ne s'agit pas d'une pathologie évolutive. La lésion est cicatrisée, stable. Si l'on peut considérer la douleur brève comme un signal d'alarme utile, la douleur persistante est devenue en elle-même un danger, une alarme, mais une «fausse alarme». C'est une douleur auto-entretenue. De multiples cercles vicieux réactivent quotidiennement la douleur.

Une croyance tenace est que seule la cause initiale continue à expliquer la persistance d'une douleur. Les patients, et même certains médecins, ne peuvent se résoudre à accepter qu'une douleur qui dure ne doit plus être comprise comme une douleur brève qui persiste. On doit changer de modèle de référence. Les mécanismes ne sont plus les mêmes. TOUTES LES COMPOSANTES DE LA DOULEUR REBELLE PERSISTANTE DOIVENT ÊTRE PRISES EN COMPTE DANS L'ANALYSE ET LE TRAITEMENT. Aucune hypothèse ne doit être négligée. L'analyse commence par les facteurs les plus habituels pour aller jusqu'aux plus cachés. Tous les mécanismes d'entretien doivent être envisagés. Quels cercles vicieux bloquent l'efficacité des défenses de l'organisme ? Chacun peut avoir une part de responsabilité dans le maintien, l'aggravation inutile de la douleur.

L'analyse d'une douleur persistante repose sur l'hypothèse que toutes les facettes peuvent avoir leur importance : composantes physiques, psychologiques et comportementales. Chacune peut être source d'entretien. À l'extrême, on peut envisager que la responsabilité de la cause initiale ait disparu et que la douleur persiste.

Pour mieux illustrer les possibles mécanismes en cause, nous ferons appel aux THÉORIES DE L'APPRENTISSAGE et à la NOTION DE CONDITIONNEMENT. Ces notions classiques découlent des travaux de Pavlov (53) et de Skinner (61). Une des expériences de Pavlov a porté sur le réflexe de retrait du chien. Normalement, ce réflexe est évoqué uniquement par des chocs électriques douloureux. Pavlov a montré que ce réflexe de retrait pouvait devenir un nouveau mode de réponse à un autre stimulus auparavant sans effet sur le réflexe. L'expérience consiste à faire précéder chaque choc électrique par un signal sonore. Au bout d'un certain temps, le signal sonore va acquérir la propriété de déclencher à lui seul le réflexe de retrait. Le réflexe de retrait est donc devenu une réponse nouvelle pour un stimulus auparavant sans effet. L'organisme a appris à réagir d'une façon nouvelle. Cette réaction, qui a été apprise, pourra être désapprise. Une autre expérience consiste à associer les chocs électriques avec un stimulus plaisant, par exemple la présentation d'aliment appétissant. Au bout d'un certain temps, le choc électrique ne provoque plus le réflexe de retrait mais un nouveau comportement : le chien remue la queue et salive.

Ces observations sur le conditionnement sont fondamentales. Elles montrent qu'un comportement douloureux peut devenir un mode de réponse à d'autres stimulations auparavant sans relations physiologiques directes. Elles montrent également (et c'est important pour la thérapeutique) qu'un comportement douloureux peut être modifié si on l'associe à des comportements incompatibles.

Les travaux de Skinner (61) sur le conditionnement apportent des informations complémentaires en soulignant les interactions entre un comportement et ses conséquences (principe de «la carotte et du bâton», des avantages et des inconvénients). Si un comportement provoque des conséquences favorables, récompense ou cessation d'un désagrément, il est renforcé et tend à persister. À l'inverse, si le comportement est suivi de conséquences défavorables, désagrément ou cessation d'une récompense, il tend à être réprimé, à disparaître. De tels mécanismes se retrouvent, de façon beaucoup plus complexe, dans les douleurs persistantes. Ce qu'il faut retenir, c'est que l'analyse des événements déclenchants et conséquents d'une douleur donne une clé pour comprendre sa persistance. Cette analyse est essentielle. Elle porte sur la douleur proprement dite et non sur sa cause initiale. Elle va guider les possibilités de modification (29, 30, 39, 55, 56, 66, 70).

La douleur persistante donne une tonalité désagréable permanente qui contamine toutes les situations, toutes les actions. Certaines situations, plus particulièrement celles qui sont stressantes ou qui posent problème, peuvent acquérir valeur de facteur aggravant ou déclenchant de la douleur. Les patients qui présentent des douleurs persistantes sont fragilisés aux stress. De nombreuses situations accentuent le niveau de douleur. Les comportements qui paraissent accentuer la douleur vont progressivement diminuer, disparaître. C'est ainsi que les cercles vicieux s'organisent progressivement.

Chaque patient est un cas particulier. Chaque douleur est entretenue par des facteurs qui lui sont propres. Ils sont souvent multiples et interagissent entre eux. Leur contribution respective est difficile à apprécier. ON DOIT FAIRE L'HYPOTHÈSE QU'UNE DOULEUR PERSISTANTE EST ENTRETENUE PAR DE MULTIPLES FACTEURS. La douleur persistante est plurifactorielle. Elle s'oppose à la douleur «normale», la douleur brève, témoin d'une cause unique (Fig. 5). Les douleurs persistantes relèvent d'une combinaison de moyens thérapeutiques. Agir sur un seul des facteurs est insuffisant si les autres n'ont pas été pris en compte. Il est donc logique d'associer diverses thérapeutiques et de s'adresser à l'ensemble des facettes du problème. Les résultats, dans ce type de douleurs, ne répondent pas à une loi de tout ou rien. L'essai d'un traitement peut être positif même si son efficacité demeure partielle. Cette amélioration relative permet d'approfondir les possibilités de contrôle d'autres facteurs possibles. L'objectif est de faire face à l'ensemble des problèmes retrouvés. L'expérience montre que si les aspects physiques sont fréquemment correctement traités, ceux d'ordre psychologique et

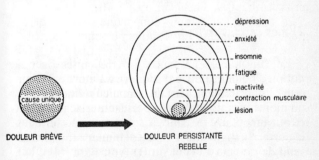

Fig. 5 Évolution de la douleur brève (cause unique)
vers la douleur persistante et rebelle
(facteurs multiples)

comportemental sont rarement pris en compte dans le traitement.

Pris dans l'engrenage des cercles vicieux, les patients ont plus de douleur qu'ils ne devraient en avoir (29). Ils souffrent plus que leur douleur «légitime». Si nous devons autant souligner l'importance des facteurs d'entretien d'ordre psychologique ou comportemental, c'est que trop fréquemment les patients nient leur possible participation (54). Ces patients raisonnent avec le modèle «une seule cause à ma douleur» et ne pensent qu'aux causes locales. Pour eux, la douleur est soit organique, soit imaginaire. Ils ne mettent pas à profit l'efficacité partielle des traitements. Certains sont amenés à souhaiter qu'enfin on leur trouve quelque chose de vraiment grave, qu'on les opère, même si les chances de succès sont minimes!…

En prenant en compte simultanément toutes les facettes physiques, psychologiques, familiales, sociales d'une douleur, on arrive à désamorcer les divers cercles vicieux responsables de la persistance de la douleur.

2) Les cercles vicieux

La THÉORIE DE LA PORTE (49, 50) insiste sur la notion d'équilibre entre systèmes excitateur et freinateur. Implicitement, chacun connaît l'influence plus ou moins bénéfique de tel ou tel facteur. Chacun sait ce qui aura plutôt tendance à «ouvrir» ou à «fermer» la porte, à «augmenter» ou à «diminuer» le «niveau-seuil de douleur» (Tableau II) (voir note [*] p. 14).

On doit ajouter à ces divers facteurs l'influence des procédés de «contre-stimulations» (31, 42, 43). Les applications de froid ou de chaud peuvent atténuer une douleur chez certains. Elles peuvent aussi l'accentuer chez d'autres.

L'état psychologique ou physique au moment où s'installe une maladie influence le niveau initial de douleur. Il a pu fragiliser l'individu face à la douleur. Il est indiscutable que les tempéraments « anxieux » ou « dépressifs » sont moins aidés face à la douleur. Examinons les principaux facteurs d'entretien et cercles vicieux.

La mémoire de la douleur

Le système nerveux peut garder le souvenir, la mémoire de la douleur. Dans certaines conditions, on observe qu'une douleur ancienne se réveille, se réactive. Mentionnons l'exemple de M. F., 21 ans, menuisier, qui présente une douleur fantôme, au niveau d'un index amputé à la suite d'un accident de travail. La douleur décrite est comme une « écharde glissée sous l'ongle ». Cette description est en fait celle d'une douleur plus ancienne, douleur de courte durée, très antérieure à l'accident. De nombreux événements désagréables, physiques ou psychologiques, peuvent constituer une occasion potentielle de réveil, de réactivation de la douleur.

Tableau II

«OUVRE LA PORTE» AUGMENTE LA DOULEUR	«FERME LA PORTE» DIMINUE LA DOULEUR
fatigue	repos
tristesse	gaieté
désespoir	espoir
dépression	plaisir
démoralisation	bon moral
cafard	joie
pessimisme	optimisme
tension	relaxation
nervosité	calme
colère	bon caractère
peur	réassurance
incertitude	explications
anxiété	sécurité
penser à la douleur	oublier la douleur
inquiétude	tranquillité
désœuvrement	occupations
inactivité	distraction
isolement	contacts humains
insomnie	sommeil réparateur
soucis	vie paisible
mauvaise forme physique	bonne condition physique

La contraction musculaire

Une douleur peut s'accompagner de contraction musculaire réflexe. Le muscle contracté devient secondairement le siège d'une nouvelle douleur. Celle-ci favorise à nouveau la contraction. Un cercle vicieux douleur-contraction-douleur s'installe… La contraction peut persister par elle-même, même si la douleur de départ a disparu. Tout nouveau facteur de tension musculaire peut accentuer la contraction. Les mouvements qui mettent en jeu les muscles déjà contractés et douloureux retentissent bien entendu sur le niveau de tension. On comprend l'importance de la bonne condition physique. Les facteurs de stress sont une autre cause extrêmement fréquente de tensions musculaires exagérées.

L'attention

Parmi toutes les sensations, la douleur est celle qui capte le plus l'attention. Un pic douloureux ne peut être ignoré. Il interrompt le patient dans ses activités. Il existe toutefois un niveau seuil au-dessous duquel l'attention peut être portée ailleurs. La douleur peut alors être oubliée. Tous les prétextes qui permettent de détourner l'attention de la douleur doivent être mis à profit. Certains patients arrivent difficilement à détacher leur attention de la douleur. Le manque de sollicitation intervient largement dans cette attention accrue à la douleur.

L'anxiété

Tout individu est plus ou moins anxieux par tempérament. Il faut également reconnaître qu'une douleur rebelle est en soi une importante cause d'anxiété. L'appréhension, l'inquiétude, la crainte de l'avenir, la peur sont des facteurs d'entretien de la douleur. Le patient qui n'est pas réellement rassuré par les médecins, par leurs explications, n'est pas aidé face à sa douleur. Celle-ci peut alors s'amplifier.

La dépression

Une douleur qui persiste donne mauvais moral et parfois une dépression franche avec un manque d'énergie, une perte des intérêts, de la tristesse. Le malade n'a pas toujours conscience que son état relève de la dépression. Pour lui, ces troubles font partie de la douleur. Comme beaucoup de maladies chroniques, la douleur peut s'accompagner de dépression. Parfois, la douleur remplace la tristesse et le patient ne se sent pas déprimé. Même en l'absence de ce sentiment de tristesse, les médecins peuvent évoquer l'hypothèse d'une dépression associée.

L'insomnie

Un sommeil insuffisant ou de mauvaise qualité contribue à entretenir la douleur. Passer une nuit blanche peut causer des douleurs à type de courbatures. L'absence de sommeil abaisse le seuil de la douleur.

L'inactivité physique

Le patient qui souffre réduit ses activités physiques. Parfois, sans raison valable, seulement parce qu'il est malade, il ne s'autorise pas à continuer normalement ce qu'il a à faire. Il évite certaines activités qui n'ont pourtant aucun rôle réellement aggravant sur la douleur. L'inactivité est cause d'une mauvaise condition physique et d'une faiblesse musculaire qui entretiennent la douleur.

Reconnaître, identifier chaque cercle vicieux de la douleur-maladie, c'est se donner les moyens de pouvoir les contrôler séparément de façon adaptée. Nous allons examiner plus en détail certaines composantes de la douleur : la sensation douloureuse, l'émotion douloureuse, l'interprétation de la douleur et le comportement douloureux.

La sensation douloureuse

Le message douloureux est interprété au niveau du cerveau où il prend une représentation finale qui s'exprime dans le vocabulaire utilisé pour décrire la douleur (23). Pour communiquer aux autres ce qu'elle ressent, la personne qui souffre utilise des mots, des qualificatifs, des comparaisons, des images. La description concerne divers aspects de la douleur : le type de la sensation, son intensité plus ou moins forte, mais aussi son désagrément, son caractère plus ou moins supportable.

1) Décrire une douleur

Il n'est pas facile d'expliquer à quoi ressemble une douleur. Les mots utilisés font référence à des comparaisons, des causes de douleur que chacun a eu l'occasion d'éprouver. Toutefois, les mêmes mots peuvent recouvrir des réalités différentes. Décrivent-ils vraiment ce qui est perçu ? Décrire une douleur à quelqu'un, c'est un peu comme expliquer ce qu'est la couleur verte à un aveugle de naissance. La comparaison avec des douleurs éprouvées dans le passé va aider la description : brûlure, torsion, crampe, pesanteur, décharges électriques, fourmillements... Pour une affection donnée, les patients ont tendance à utiliser des qualificatifs similaires. Pulsation ou battement évoquent la douleur de la migraine. Sourde, pesanteur évoquent la douleur de la céphalée par contraction musculaire. Élancements, décharges électriques évoquent les douleurs neurologiques… Le choix de certains qualificatifs peut donc orienter vers une affection ou un mécanisme particulier de douleur.

Melzack (1975) a conçu un questionnaire (le MC GILL PAIN QUESTIONNAIRE) qui apprécie, de manière standardisée, sous la forme d'un test, la description d'une douleur (46). Il comporte 82 mots. On le considère actuellement comme une méthode tout à fait satisfaisante pour «mesurer» la douleur (48). Son intérêt est de permettre le calcul d'une note qui apprécie l'importance de la douleur. Cette note peut également se prêter à des statistiques. On peut ainsi surveiller le degré de changement d'une douleur. On peut contrôler les effets d'un traitement. Cette mesure est très utile car le traitement d'une douleur rebelle n'a pas toujours une efficacité à 100 %. Il peut donc être difficile, pour un patient, de juger si sa douleur n'a pas changé de degré. Le questionnaire est donc une aide pour le patient comme pour les médecins. Nous reviendrons dans le chapitre «Analyse» sur les méthodes d'évaluation des différentes facettes de la douleur-maladie (p. 103).

Certains malades utilisent des descriptions imagées, parfois très élaborées. C'est comme si : «J'étais marqué au fer rouge»; «Une bête venait me déchirer les chairs»; «La lame d'un couteau pénétrait en profondeur»… Ces images montrent bien comment l'interprétation de la perception va donner un sens propre à chaque douleur. Ces interprétations expriment souvent des conceptions plus ou moins erronées sur la cause, le mécanisme de la douleur. Elles traduisent son caractère plus ou moins agressif, plus ou moins supportable. En modifiant l'interprétation du message douloureux, en lui redonnant un sens moins négatif, certains patients réussissent à modifier et à atténuer la perception de la douleur. Ils réussissent à penser à leur douleur mais différemment. Ces observations sont l'origine des techniques d'imagerie mentale dirigée (voir p. 171).

2) Comment ne pas y penser ?

La douleur ne se laisse pas facilement oublier. Elle se rappelle sans cesse à l'esprit. Involontairement, l'attention est captée, accaparée, absorbée. Comme toute perception, la douleur est influencée par les phénomènes d'attention et de diversion de l'attention.

Diriger son attention, c'est fixer son esprit sur quelque chose de particulier et, de ce fait, délaisser d'autres sources d'informations. Imaginons une réunion d'amis. On peut choisir entre deux conversations simultanées. L'une d'elles est bruyante, le verbe est haut. L'autre est plus discrète, plus difficile à écouter. Cette dernière paraît nettement plus intéressante. On ne peut suivre ces deux conversations en même temps. L'attention ne peut capter qu'une seule information à la fois. On doit donc faire un choix, une sélection. On doit détourner son attention de la conversation bruyante pour mieux se concentrer sur la plus discrète. Cet exemple, parmi d'autres, illustre le mécanisme de l'attention et du détournement de l'attention. Dans la douleur-maladie, tous les moyens doivent être mis en œuvre pour moins ressentir la douleur. Reprenons notre exemple. On peut comparer la douleur à la conversation bruyante dépourvue d'intérêt. Tout doit être fait pour ne pas l'entendre. Détourner son attention vers des conversations intéressantes, c'est, dans le cas de la douleur, prêter attention à toutes occupations, activités ou discussions qui éloignent l'esprit de la douleur.

Un autre exemple nous aidera à illustrer les possibles effets à plus long terme du détournement de l'attention, c'est celui du bruit d'une rue ou d'une voie de chemin de fer. Une personne qui vient habiter un nouveau logement à proximité d'une voie ferrée, par exemple, peut ne pas supporter initialement le bruit des trains. On sait qu'avec le temps de très nombreuses personnes vont progressivement s'habituer. Elles n'y prêteront plus attention. Physiquement, le bruit est toujours là, mais ces personnes finissent par ne plus l'entendre. «Moins penser à la douleur», «s'habituer», c'est laisser l'attention se fixer sur des activités particulièrement motivantes, sources d'intérêt. Elles exercent un effet «dérivatif» qui atténue fortement la perception de la douleur, parfois complètement. À l'inverse, l'absence d'occupations, l'inactivité laissent l'esprit disponible à la douleur. L'attention captée par la douleur renforce le cercle vicieux. Comparativement, la douleur paraît plus forte, moins supportable. Il existe un niveau seuil au-dessous duquel la douleur se laisse oublier et au-dessus duquel elle se rappelle à l'esprit. Les patients qui s'entraînent à détourner volontairement leur attention arrivent à élever ce niveau seuil. Dans les cas contraires, le seuil a tendance à diminuer de plus en plus, le patient reste de plus en plus centré sur ses sensations douloureuses. Il délaisse toutes les sources de sollicitations extérieures. Il est de plus en plus envahi par la douleur et par tout ce qui s'y rapporte. Une objection fréquente est : «Mais alors, pourquoi la douleur me réveille-t-elle en plein sommeil?» Il n'y a pas de réponse unique. La douleur peut survenir dans une phase de sommeil peu profond, lors d'un mouvement non conscient, lors d'un rêve ou d'un cauchemar...

Le contrôle des processus d'attention et de détournement de l'attention est essentiel dans les douleurs rebelles et persistantes. Nous aurons à décrire les techniques qui permettent d'apprendre à détourner volontairement l'attention de la douleur vers des événements incompatibles.

3) Les zones douloureuses

Lorsqu'on se pique avec une aiguille, on peut déterminer avec précision le siège de la piqûre. Cette observation pourrait donc faire penser que le système de localisation de la douleur est toujours aussi précis. Pourtant, très souvent, il n'y a pas toujours de bonne concordance entre le foyer de lésion et la zone douloureuse. Le système qui informe sur la localisation d'une douleur peut faire des «erreurs». Ces zones douloureuses de topographie aberrante sont bien connues en médecine. Elles ne posent plus de problèmes diagnostiques. Certaines douleurs du genou sont dues à une affection de la hanche. Certaines douleurs cardiaques irradient dans les bras. On pourrait multiplier les exemples. Ces localisations «bizarres» sont des DOULEURS PROJETÉES. Plusieurs mécanismes expliquent la dissociation entre la localisation de la douleur et le siège de la cause (72).

Un premier mécanisme de douleur projetée s'observe dans les douleurs d'origine neurologique. La compression d'un nerf, quel que soit le niveau de la compression, va donner une douleur qui paraît provenir du territoire périphérique : là où se situent les récepteurs à l'origine des voies de transmission. Comment expliquer ce phénomène ? Le cerveau a pris l'habitude de décoder des messages en provenance des récepteurs. Dans ces cas, le message douloureux « court-circuite » le point de départ normal. Il prend naissance directement sur le trajet des voies de transmission. Arrivé au cerveau, le message sera décodé comme provenant de son point de départ habituel : le récepteur périphérique. Ce mécanisme se rencontre dans la sciatique par hernie discale. La douleur irradie tout le long du trajet du nerf. Elle n'est pas localisée là où le nerf est comprimé. Elle est ressentie jusqu'au pied. Un phénomène proche s'observe dans la douleur du « membre fantôme ». La douleur est « à tort » localisée dans le territoire anatomiquement absent. Dans le cas d'une paraplégie (atteinte de la moelle épinière), la douleur peut siéger dans un territoire anesthésié, totalement dépourvu de sensibilité. Le cerveau décode la douleur comme provenant d'une région du corps amputée ou insensible. Toutes ces apparentes « erreurs » ont leur logique lorsqu'on considère les mécanismes de décodage de la douleur.

Un second mécanisme de douleur projetée permet d'expliquer l'irradiation de la douleur cardiaque dans un bras. Les mêmes voies de transmission reçoivent des messages provenant de la peau, mais également des viscères, des ligaments, des muscles. On dit qu'il y a convergence des influx nerveux. Lorsque ces voies de transmission sont activées, le cerveau peut sembler faire des erreurs. L'information provenant des viscères sera décodée comme paraissant provenir de la peau. Tout au long de l'existence, le cerveau décode des messages en provenance de la peau. Lorsque les voies sont activées par des messages d'origine viscérale, l'information paraîtra toujours provenir de la peau. Anatomiquement, il y a convergence des nerfs provenant du cœur et du bras. Dans les douleurs cardiaques, le cerveau va décoder les messages comme « provenant du bras ».

La contraction musculaire réflexe est un troisième

mécanisme de douleur projetée. Le muscle contracté devient secondairement le siège d'une douleur.

Toutes ces observations montrent que les relations entre la lésion et la zone de la douleur sont parfois difficiles à interpréter. Lorsqu'une douleur change de localisation, cela ne signifie pas nécessairement que le foyer de lésion est en cours d'évolution.

Il faut connaître ces faits. Au plan du traitement, le phénomène de convergence et de douleur projetée permet d'expliquer l'efficacité des contre-stimulations externes sur des douleurs plus profondes.

V

L'émotion douloureuse

La douleur ne laisse pas indifférent. Ce n'est pas une sensation banale, neutre. Elle se caractérise par le désagrément, la souffrance. Elle pousse celui qui la ressent à l'éviter. C'est une émotion négative qui englobe le désagréable, le pénible, l'intolérable, l'angoissant. Cet aspect émotionnel rend la douleur rebelle redoutable. Sans la souffrance, les problèmes posés par les douleurs rebelles et persistantes ne se poseraient pas de façon comparable. Il serait facile de s'adapter à la douleur si elle était limitée à son seul aspect sensation, si elle était dépourvue de ses caractères émotionnels désagréables.

LA DOULEUR EST UNE SENSATION ET UNE ÉMOTION DÉSAGRÉABLES. Si l'on se tourne vers les philosophes anciens tels Platon ou Aristote, on note que la douleur était considérée plus comme une émotion opposée au plaisir que comme une sensation. La pratique médicale centrée sur l'abord physique de la douleur a contribué à faire oublier les autres dimensions du phénomène. Cette démarche est légitime lorsqu'il s'agit d'une douleur brève, récente. Dans les douleurs rebelles, persistantes, le problème doit être abordé différemment. Toutes les facettes doivent être analysées. L'aspect émotionnel ne peut être négligé. Les dictons populaires tel : « LA PEUR DE LA DOULEUR

61

EST DÉJÀ LA DOULEUR» expriment clairement les interrelations entre douleur et émotion.

Si la douleur rebelle d'origine physique comporte un aspect émotionnel, les émotions possèdent également un aspect physique. Qui n'a jamais éprouvé physiquement la peur ou le trac? On en connaît bien toutes les manifestations du stress : tensions musculaires, boule dans la gorge, palpitations, tremblements, sueurs, oppression respiratoire... On comprend que des états de tension persistants puissent induire des manifestations physiques «sans cause organique». Les manifestations physiques de l'émotion servent de base pour comprendre les douleurs «sans lésion physique».

Des régions distinctes du cerveau vont analyser les aspects sensoriels et émotionnels du message douloureux. On sait qu'après certaines interventions sur le cerveau (lobotomie frontale par exemple), les patients disent toujours ressentir la douleur, mais qu'elle ne les gêne plus. Elle a perdu son caractère pénible, angoissant. Ce type d'intervention n'est plus pratiqué du fait des répercussions sur la personnalité des sujets. Ces faits sont importants car ils suggèrent que l'aspect sensation peut être dissocié de l'aspect émotion.

1) Le stress de la douleur

Les relations entre la douleur et le stress sont à double sens. D'un côté, une douleur persistante est en soi une cause de stress. De l'autre, elle rend plus fragile aux autres causes de stress. Cette réactivité exagérée aux facteurs de stress accentue la douleur, favorise son entretien. On doit faire une distinction entre les situations stressantes et l'état de stress, c'est-à-dire la réaction, la réponse de l'organisme. La situation stressante détermine la réaction de stress. Mais pour une situation potentiellement stressante, la réaction de stress n'est pas obligatoire. Certains individus réagissent mieux que d'autres aux situations de stress. Un même individu peut réagir de façon variable selon les circonstances. Il peut apprendre à mieux réagir.

L'état de stress se définit par l'ensemble des manifestations physiologiques et psychologiques résultant d'une situation-alerte ressentie comme une agression. Il s'agit d'une réaction de défense. Face à une situation stressante, les comportements adoptés sont la lutte ou la fuite.

La souris qui aperçoit un chat, le chat qui aperçoit un rival sont en état de stress. Chez nos lointains ancêtres, l'état de stress constituait une réponse de défense utile. Elle préparait à l'action : combat ou fuite. Pour l'homme contemporain, l'utilité de l'état de stress est moins évidente. Le développement d'un code social civilisé a modifié l'organisation des réponses au stress. Confronté à une situation agressive, un individu ne manifeste plus physiquement son désaccord ou son agressivité comme l'aurait fait son lointain ancêtre. Son comportement est plus volontiers intériorisé. Rixes, insultes ou cris sont réprimés. La réaction est «rentrée». Certaines manifestations physiologiques ou psychologiques peuvent cependant persister. Elles deviennent alors disproportionnées pour la situation car elles n'ont plus la finalité de préparer à la fuite ou au combat. Elles sont exagérées par rapport aux situations qui les déclenchent.

La douleur, le stress provoquent une réaction d'alerte dite «qui-vive» ou «branle-bas de combat». Elle comporte une accélération des battements du cœur (palpitations), une accélération de la respiration qui devient haletante, une augmentation de la tension musculaire, des sueurs, une élévation de la pression artérielle…

La vie quotidienne est riche de situations susceptibles de causer une réaction de stress. Elles sont plus ou moins durables dans le temps : certaines sont transitoires, d'autres sont persistantes. Tout ce qui nécessite une adaptation de l'organisme peut devenir cause de stress. On pense en général plus volontiers à des événements négatifs : contrariétés, problèmes à résoudre, conflits, décès… D'autres événements tels qu'une promotion, un déménagement, peuvent également être source de stress.

Holmes et Rahe (34) ont établi une liste des principaux événements de vie facteurs de stress. Ils ont hiérarchisé et classé les situations. Cette classification n'a qu'une valeur relative pour chaque cas particulier. Elle posséderait toutefois une valeur d'orientation dans un ensemble de personnes. Les auteurs ont pu calculer un coefficient moyen selon les événements : « la mort d'un conjoint » serait égal à 100, « un divorce » égal à 65, « un changement de domicile » égal à 20… (Tableau III). En calculant la somme des différents coefficients correspondant aux événements stressants rencontrés dans l'année qui vient de s'écouler, on dispose d'un score global. Ce score permettrait de prédire en partie le risque de tomber malade.

Les causes de stress sont variables d'un individu à l'autre. C'est la signification accordée à la situation qui va déterminer la réaction. Face à une situation stressante, l'organisme met en place des mécanismes d'adaptation pour faire face et rétablir l'équilibre. Ces mécanismes peuvent être débordés. Ce qui peut être changé, ce n'est pas la situation stressante mais la façon de réagir. Contrôler les facteurs de stress, ce n'est pas réussir à les éviter, c'est réussir à faire face de façon adaptée aux plans physique et psychologique (45).

Tableau III

Événements de vie stressants et coefficients moyens.
D'après Holmes et Rahe, 1967

ÉVÉNEMENTS	COEFFICIENTS
1. Mort d'un conjoint	100
2. Divorce	73
3. Séparation (dans un mariage)	65
4. Détention (prison ou autre institution)	63
5. Mort d'un parent proche	63
6. Blessure ou maladie grave	53
7. Mariage	50
8. Licenciement	47
9. Réconciliation (dans un mariage)	45
10. Retraite	45
11. Modification importante de la santé ou du comportement d'un membre de la famille	44
12. Grossesse	40
13. Difficultés sexuelles	39
14. Arrivée d'un nouveau membre dans la famille (naissance, adoption, personne âgée venant vivre chez vous)	39
15. Réajustement professionnel important (fusion, réorganisation, banqueroute…)	39
16. Important changement de situation financière (en pire ou en meilleur)	38
17. Mort d'un ami proche	37
18. Changement de branche professionnelle	36
19. Changement important du nombre de querelles avec son conjoint (beaucoup plus ou beaucoup moins, concernant les enfants, les habitudes)	35
20. Emprunt dépassant 50 000 F (achat d'une maison, d'une affaire)	31
21. Obligation de paiement inattendue	30

ÉVÉNEMENTS	COEFFICIENTS
22. Changement important dans les responsabilités professionnelles (promotion, rétrogradation, transfert)	29
23. Enfant quittant la maison (mariage, université)	29
24. Ennuis dus aux parents, aux beaux-parents	29
25. Succès personnels excessifs	28
26. Épouse prenant ou quittant un emploi extérieur	26
27. Début ou fin d'études	26
28. Changement important de conditions de vie (construction d'une nouvelle maison, transformation, détérioration de la maison ou du voisinage)	25
29. Modification des habitudes personnelles (habillement, manières, relations...)	24
30. Difficultés avec son patron	23
31. Changement important d'horaire ou de conditions de travail	20
32. Déménagement	20
33. Changement d'école	20
34. Changement important de genre ou/et de type de loisirs	19
35. Changement important d'activité religieuse (beaucoup plus ou beaucoup moins)	19
36. Changements importants d'activité sociale (clubs, danses, films, visites)	18
37. Emprunt de moins de 50 000 F (achat d'une voiture, TV, freezer)	17
38. Changement important d'habitudes de sommeil (beaucoup plus ou beaucoup moins ou autre répartition des heures de sommeil)	16

ÉVÉNEMENTS	COEFFICIENTS
39. Changement important dans les rencontres familiales (beaucoup moins ou beaucoup plus fréquentes)	15
40. Changement important d'habitudes alimentaires (beaucoup plus ou beaucoup moins ou horaires ou entourage très différents)	15
41. Vacances	13
42. Noël	12
43. Violation mineure de la loi (contravention, traverser la rue en dehors des passages cloutés, trouble de l'ordre public...)	11

Le patient qui souffre de douleur persistante a souvent un seuil d'état d'alerte abaissé. Cette plus grande réactivité concorde souvent avec une accentuation des douleurs. L'aptitude à faire face aux problèmes, aux conflits de la vie quotidienne, peut influer sur la persistance d'une douleur. Une réactivité exagérée peut aggraver la douleur, la maintenir dans le temps. En apprenant à modifier les réactions de l'organisme, certains patients arrivent à prévenir l'apparition des accès douloureux. Il ne faut pas penser que les facteurs de stress sont obligatoirement des événements importants. Un violent accès de migraine peut être favorisé par des situations quotidiennes, banales : manque de temps, rythme accéléré au travail, rencontre inattendue, contretemps, peur d'être en retard, difficultés relationnelles avec les autres...

M. P. présente des céphalées dues à une infection chronique de l'oreille. Sa patience a progressivement diminué, il ne supporte plus les contrariétés. Une discussion trop mouvementée, un conflit avec ses enfants sont cause de tensions accrues. Lors des premiers entretiens, M. P. déclarait ignorer les éléments favorisant son mal de tête. Pour lui, sa douleur n'est absolument pas modifiée par des facteurs «psychologiques» puisqu'il s'agit au départ d'une infection de l'oreille. Il ne comprenait donc pas les raisons favorisantes de ses crises. Après plusieurs semaines d'auto-observation, M. P. a pu progressivement établir une relation entre des conflits quotidiens et l'augmentation de la douleur dans les heures qui suivent. Établir un lien entre le niveau de douleur et certaines situations favorisantes lui a permis d'adapter son comportement aux situations-problèmes et de prévenir les accès douloureux en interrompant le cercle vicieux tension-douleur.

L'importance et la nature d'une réaction émotionnelle dépendent de l'interprétation que le sujet fait d'une situation ou d'un événement. Le rôle des pensées a été montré par Schachter et Singer (58). Ils ont administré de l'adrénaline à des sujets bien portants. L'adrénaline est une substance physiologique libérée lors de la réaction d'alerte. Son injection reproduit les manifestations physiques de la réaction d'alerte : tremblements des mains, accélération des battements du cœur et du rythme respiratoire... Les sujets ont été séparés en deux groupes. Le premier groupe attend dans une pièce en compagnie d'une personne qui montre sa colère, son irritation. Le second groupe attend avec une personne d'humeur joyeuse, qui manifeste très ouvertement sa gaieté. L'injection d'adrénaline provoque des effets opposés selon le groupe. Les sujets du premier groupe éprouvent de la colère, de l'irritation. Les sujets du second groupe deviennent gais, joyeux. Ces résultats soulignent le rôle des pensées dans une réaction émotionnelle. En effet, on peut penser que, par observation, les sujets vont ajuster leurs pensées à l'état d'humeur du modèle. L'administration d'adrénaline provoque une réaction physiologique qui sera interprétée différemment. Les pensées vont donner une signification différente à la réaction physiologique.

Une douleur persistante donne une tonalité désagréable à toutes activités, à tous événements, à toutes situations. Le malade qui souffre de douleur persistante est donc plus enclin qu'un autre à interpréter une réaction d'alerte comme le signe d'une accentuation de sa douleur.

2) L'impuissance face à la douleur

Le patient qui souffre de douleur persistante, rebelle, réduit ses activités. Son état est souvent proche de la dépression. Ses centres d'intérêt diminuent. Son humeur devient triste. Sa vision du monde et de lui-même est pessimiste. Il est sans espoir. Il se fatigue. Il manque d'appétit, dort mal. On peut faire un rapprochement entre l'état d'humeur du patient qui souffre de douleur rebelle et ce que Seligman a décrit sous le nom d'«impuissance apprise» ou de «résignation apprise» (60).

Seligman a étudié, en laboratoire, les effets de chocs électriques douloureux sur le comportement de chiens. Les animaux sont placés dans une cage à deux compartiments. Dans un premier groupe, les chiens peuvent sauter dans le deuxième compartiment de la cage pour éviter le choc douloureux. Ce comportement leur permet de contrôler la situation. Ils apprennent à agir pour éviter la situation désagréable. Dans le second groupe, les chiens, quoi qu'ils fassent, ne peuvent se soustraire aux chocs électriques douloureux. La douleur est inévitable, incontrôlable. Dans cette situation, les animaux adoptent un comportement particulier : ils restent immobiles

69

et gémissent. Ils ne cherchent plus à réagir. Ils paraissent résignés, impuissants. Soumis à une seconde expérience dans laquelle ils ont à nouveau la possibilité d'éviter les chocs douloureux, ces animaux ne vont plus chercher à éviter la douleur. Ils ont appris à rester résignés, impuissants. Face à une nouvelle situation agressive, ils ne cherchent plus à réagir avec efficacité, même si c'est à nouveau possible.

Initialement, le comportement d'«impuissance» est bénéfique car l'organisme libère des endorphines (69). Avec le temps, l'efficacité de ce mécanisme protecteur s'épuise. Toutefois, le comportement moteur d'impuissance face à la douleur persiste. Dans les situations où les chocs peuvent être évités par un comportement moteur adapté, l'organisme ne réagit pas par une libération d'endorphines (69).

Ces observations peuvent être rapprochées de ce qui s'observe chez les sujets souffrant de douleurs persistantes. Ils n'ont plus d'espoir. Ils ne croient plus à une possible amélioration. Ils ne cherchent plus à s'aider. Ils n'entreprennent plus rien pour s'aider, pour contrôler leur douleur.

VI

Le comportement douloureux

Avoir mal, cela se voit, cela s'entend. Les autres
perçoivent souvent mieux la douleur grâce à des
signes du visage, des gestes, des postures, des intona-
tions dans la voix, que par ce que la personne décrit.
L'entourage ne peut rester indifférent à ces manifestations de douleur. D'une façon ou d'une autre, il va
réagir et interférer avec la douleur. Prenons l'exemple
d'un enfant qui tombe et se met à pleurer devant sa
mère. La blessure n'est pas grave. On peut imaginer
une grande variété de réactions de la mère : rassurante, alarmiste, superprotectrice, indifférente… Certaines attitudes sont plutôt positives, d'autres plutôt
négatives. Quelles en seront les conséquences à court
terme et à plus long terme ? On peut logiquement
penser qu'une attitude trop protectrice ne va pas
apprendre à l'enfant à surmonter seul sa douleur.
Dès l'enfance, les réactions de l'entourage modèlent
le comportement vis-à-vis de la douleur. Ces réactions déterminent des attitudes plutôt « stoïques »,
d'autres plutôt « douillettes ». On retrouve ici le rôle
du milieu, familial et culturel (3, 27). Il nous faut examiner comment les conséquences d'un comportement
douloureux agissent en retour sur ce comportement
et peuvent créer des cercles vicieux.

1) La douleur « se voit et s'entend »

De multiples indices permettent à l'entourage de dépister des signes de douleur. Tout ce que la personne fait (ou ne fait pas) peut constituer des indices de douleur (29, 30, 37). On peut observer des grimaces, des plis du front, une façon précautionneuse de se tenir, de s'asseoir, de marcher. La personne peut également parler de sa douleur, dire combien elle a mal. Elle peut pousser des gémissements. Parfois, c'est seulement un silence, une intonation dans la voix qui témoignent de la douleur. Si la personne ne montre pas sa douleur, n'en parle pas, c'est l'entourage qui questionne. Une phrase aussi banale que : « Comment ça va aujourd'hui ? » peut devenir un nouveau prétexte à se centrer sur la douleur. Comment éviter ces conversations inutiles sur la maladie ou sur la douleur ?

Tous les domaines de la vie quotidienne peuvent être perturbés par la douleur. Ces modifications sont d'autres indices de douleur. Au travail, dans des activités de loisirs ou familiales, des changements dans le comportement peuvent être observés. Celui qui souffre marche peu. Il passe la majorité de son temps assis, allongé, plus ou moins somnolent. Ses activités physiques sont extrêmement réduites. Il ne fait plus d'exercice musculaire.

Sa condition physique est souvent plus mauvaise qu'elle ne devrait être. Si la douleur pouvait disparaître subitement, il serait dans l'incapacité de reprendre des activités normales. Certaines activités quotidiennes sont devenues des épreuves redoutées car soupçonnées d'accentuer la douleur. Le patient douloureux cherche à les éviter. Faire les courses, la cuisine, assurer les responsabilités de la maison, jouer aux cartes, recevoir des amis, écouter de la musique, lire, avoir des relations sexuelles... Toutes ces activités peuvent être modifiées. Les répercussions au niveau du travail sont souvent la conséquence la plus lourde. La douleur provoque un absentéisme répété, des conflits avec les collègues. Travailler devient impossible et se pose alors le problème d'un licenciement, d'un reclassement professionnel…

Toutes ces conséquences agissent en retour sur la douleur pour diverses raisons : attention accrue à la douleur, manque de diversion, démoralisation, mauvaise condition physique, interactions négatives avec l'entourage… Toute douleur peut devenir vraiment rebelle si elle se combine avec l'inactivité physique, le désœuvrement, l'absence de centres d'intérêt, de distractions et la réaction surprotectrice des autres !

2) Comment se comporter ?

La personne qui souffre essaie toujours de réagir au mieux. Mais ses réactions dépendent de ce qu'elle pense adapté. Certaines attitudes adaptées au début de la maladie (douleur normale) deviennent mal adaptées lorsque la douleur persiste (douleur-maladie). L'expérience montre que l'attitude efficace est de se comporter aussi normalement que possible (29, 30, 55, 56).

Le principe fondamental est de savoir CONTRER LA DOULEUR PAR DES COMPORTEMENTS INCOMPATIBLES. Se comporter normalement est en soi une façon d'agir incompatible. Lorsque la douleur devient plus présente, il faut savoir lui faire face en recourant aux techniques de contre-stimulation, de relaxation, de détournement de l'attention.

Parler de sa douleur, tenter de la partager, peut donner l'impression de soulagement sur le moment. À long terme, il faut redouter que la douleur ne devienne le seul motif de discussion. L'entourage finit par se lasser car il ne peut rien faire. Ces conversations inutiles sur la santé enferment la personne dans la « douleur-maladie ».

De nombreuses activités quotidiennes cessent car le patient les suspecte d'accentuer la douleur. Tout ce qui fait la vie quotidienne paraît moins attractif, intéressant. Le risque est de délaisser toute activité. Si, dans telle ou telle circonstance, un accès de douleur apparaît, le patient tient celle-là pour responsable. Il évite la situation, l'activité, et finit par l'interrompre. Des interprétations erronées sur le rôle aggravant de telle ou telle activité conduisent le patient à ne plus rien faire. Toutes ces modifications entretiennent les cercles vicieux : douleur → réduction d'activité → absence de diversion de l'attention → attention accrue sur la douleur → douleur…

Face à une douleur rebelle, il faut donc examiner quelles activités sont modifiées. Quelles activités sont possibles ? impossibles ? envisageables ? L'attitude adaptée est de reprendre les activités par étapes progressives. Outre l'aspect physique de toute activité, il faut prendre en compte l'intérêt qu'on lui porte. Certaines activités sont plus plaisantes, plus motivantes que d'autres. Quels sont les avantages et inconvénients à reprendre certaines activités ? Il ne faut pas négliger cet aspect. La reprise des activités, leurs effets dérivatifs, sont liés à la motivation que celles-ci déterminent.

Une douleur persistante donne une tonalité désagréable à toutes les activités. Ce désagrément se communique d'autant plus facilement que les activités sont peu plaisantes, peu motivantes. Quelles seraient les bonnes raisons pour reprendre telle ou telle activité ? Quels sont les avantages et inconvénients ? Pour répondre à ces questions, il faut tenir compte du fait que, plus ou moins consciemment, la douleur peut faire écran, servir de prétexte ou d'excuse, pour ne pas les assumer. Il est plus facile de dire : « Je ne peux pas parce que j'ai mal » que : « Je n'ai pas envie. » La première explication (je ne peux pas) est mieux acceptée par l'entourage que la seconde (je ne veux pas). Reprendre des activités qui présentent plus d'inconvénients que d'avantages peut faire glisser le : « Je ne veux pas » en : « Je ne peux pas. »

3)*Les réactions de l'entourage*

Grâce aux changements dans le comportement, l'entourage sait parfaitement quand une personne « a mal » ou « n'a pas mal ». Même si une personne ne parle pas de sa douleur, les gestes « douloureux » sont des signaux qui établissent une communication avec l'entourage. Ne pas communiquer est impossible. Il n'y a pas toujours concordance entre ce qui est décrit et ce que les autres observent. Certaines personnes affirment : « Tout va bien », mais les autres peuvent parfaitement se rendre compte du contraire. D'autres ne montrent rien et pourtant ont mal.

Pour l'entourage, observer un comportement douloureux, c'est comme entendre : « J'ai mal. » À ce message, il va répondre comme il le ferait dans une conversation. Quelle est sa réaction ? Proposer de l'aide ? Ignorer le comportement ? Dans tous les cas, c'est une forme de réponse, donc de communication. Ces interactions sont rarement conscientes. L'attitude de l'entourage face à la douleur de l'autre est essentielle. Dans quelle mesure cette douleur est-elle bien acceptée ? Est-elle rejetée ? Y a-t-il accord ou désaccord ? Que pense l'entourage de la façon dont le patient se comporte ? Les autres pensent-ils qu'il exagère ? Qu'il prend sur lui ?...

Une question importante est de savoir si l'attitude de l'entourage aide le patient à adopter des comportements adaptés vis-à-vis de sa douleur. Pour faciliter la compréhension de ces cercles vicieux, nous schématiserons quelques cas extrêmes, en sachant que chaque cas est particulier et doit être analysé spécifiquement.

On peut envisager un entourage excessivement protecteur. Depuis le début de la maladie, toutes les activités, toutes les responsabilités sont évitées au malade. Dès qu'un comportement douloureux est manifeste, on lui conseille d'arrêter, de ne rien faire, de continuer à se reposer. On le console, on lui donne encore plus d'affection. Cette attitude, bien intentionnée, n'aide pas le patient à long terme. Elle l'empêche de réagir vis-à-vis de sa douleur. Sauf avis médical particulier, l'entourage doit inciter celui qui souffre de douleur rebelle à prendre sur lui, à assurer les activités possibles, à se comporter aussi normalement que possible. L'entourage peut ainsi l'encourager à adopter des comportements incompatibles avec la douleur.

Lorsqu'une personne a l'impression d'être soupçonnée de « douleur imaginaire », les encouragements à prendre sur soi auront des effets inverses. Le sentiment de ne pas être cru, de ne pas être compris, pousse celui qui souffre, plus ou moins consciemment, à faire la preuve que sa douleur est bien réelle. Comment ? Pour apporter la preuve que sa douleur est bien réelle, le patient a tendance à se comporter « douloureusement ». Ce cercle vicieux le dissuade de se comporter normalement, d'adopter les comportements incompatibles avec la douleur. L'organisme ne peut réagir de façon adaptée.

Les réactions de l'entourage, familial, professionnel ou médical, peuvent donc encourager ou dissuader celui qui souffre d'adopter des comportements adaptés vis-à-vis de sa douleur. Cette notion est fondamentale. Malgré une bonne volonté de part et d'autre, les interactions peuvent ne pas être bénéfiques et ne pas aider. Nous savons que, pour le patient et sa famille, accepter de reconnaître l'importance de ces problèmes est loin d'être évident.

Les interactions entre celui qui souffre et l'entourage sont extrêmement complexes et diversifiées. Certaines familles se sentent coupables de voir quelqu'un souffrir. Il est inexact de penser que, obligatoirement, tout est dû à celui qui est malade. Avant les demandes, l'entourage propose au patient de l'aider, de le remplacer dans tout ce qu'il doit faire. Certains patients s'installent dans ces « avantages » et finissent par se comporter comme des « tyrans », exigeant tout des autres.

Trop s'occuper de celui qui souffre, lui témoigner affection, tendresse, amour, attention parce qu'il a mal, est un piège. Il est préférable que l'amour et l'affection soient donnés autrement qu'au travers de la douleur. Lier la douleur et l'affection est cause de cercle vicieux. Pour rompre celui-ci, il faut apprendre à témoigner de l'affection indépendamment des comportements douloureux, ou mieux encore en encouragement des comportements incompatibles.

« Tu ne prends pas assez sur toi. » « Tu ne veux pas admettre que tu t'écoutes trop. » Toutes ces remarques peuvent enfermer le patient dans son comportement douloureux. S'il agit normalement, les autres peuvent lui dire : « Tu vois, quand tu veux… » Ses efforts ne sont pas reconnus. Il n'est pas encouragé à persister dans des comportements adaptés. S'il rit, s'il s'amuse et ne paraît plus souffrir, l'entourage peut interpréter ce changement d'attitude comme la preuve que sa douleur est imaginaire ! En réaction, le patient affirme la réalité de sa douleur : « Si tu étais à ma place, tu verrais à quel point j'ai bien mal… » On comprend que la répétition quotidienne de ces interactions peut constituer de redoutables cercles vicieux. Il n'est pas toujours facile d'en trouver la solution.

L'entourage familial, professionnel, médical, ne doit pas rester indifférent aux progrès du patient. Il doit savoir récompenser ses efforts et ne pas les considérer comme «normaux», «allant de soi». On peut témoigner de l'affection, apporter de l'aide. Plutôt que de synchroniser ces marques d'attention aux signes de douleur, elles peuvent devenir récompenses, encouragements, support, approbation des progrès du patient.

VII

L'interprétation de la douleur

Les pensées, les opinions, les croyances, les raisonnements sur la maladie peuvent influencer négativement ou positivement la perception de la douleur, ses aspects émotionnels et comportementaux.

1) Le rôle des pensées

Mme B. se plaint de migraine commune depuis des années. Elle n'a pas consulté, tellement ce trouble lui paraît banal. Sans aucune raison apparente, son mal de tête va devenir plus fréquent, plus intense. C'est alors qu'elle s'en inquiète, qu'elle demande des avis. Devant ce changement, on pratique de nombreux examens : sans résultat. Adressée à la consultation de la douleur, l'entretien révèle qu'à l'époque où le mal de tête empire, son père est décédé d'une tumeur dans la tête. Mme B. reconnaît une relation possible. À cette époque, elle s'était inquiétée de savoir si elle aussi n'aurait pas de tumeur. Elle n'avait jamais abordé ce sujet avec les médecins. Elle accepte le lien. Réassurée, elle ira mieux. Cette observation parmi d'autres montre une autre forme de cercle vicieux. Une douleur préexistante comme une migraine commune peut devenir le point de départ d'une douleur apparemment « rebelle ».

On peut également citer l'exemple des malades guéris de cancer. Comment croire qu'ils supportent facilement une simple courbature si l'idée leur vient qu'elle témoigne d'une rechute ?

Pendant la Seconde Guerre mondiale, Beecher a mené des études montrant le rôle des pensées, des interprétations de la douleur (8). Pour des blessures tout à fait comparables, il a observé que les blessés de guerre réclamaient nettement moins d'analgésiques que des blessés civils : un militaire sur trois, contre quatre civils sur cinq, réclamait de la morphine. Comment expliquer cette différence ? Pourquoi les blessés de guerre réclament-ils moins d'antalgiques que des civils ? L'explication proposée tient compte du contexte de la douleur et de son interprétation. Pour les militaires : la guerre est finie, ils ont la vie sauve, ils quittent le front dans des conditions honorables, en héros. Pour les civils : cette blessure est une catastrophe, ils risquent de perdre leur travail, de ne plus pouvoir subvenir aux besoins de la famille. On peut facilement imaginer les propos que se tiennent les blessés, ce qu'ils se disent à eux-mêmes, leurs dialogues intérieurs. Les militaires : je l'ai échappé belle. Cette fichue guerre est enfin finie pour moi. Je vais revoir la famille. Les civils : vais-je pouvoir retravailler ? Combien de temps ça va durer ? Avec quoi la famille va-t-elle survivre ? Que me donneront les assurances ? D'un côté, les interprétations sont positives ; de l'autre, elles sont négatives. Ces différences contribuent à influencer la perception de la douleur.

2) Les idées à combattre

De nombreuses pensées négatives peuvent amplifier la douleur et diminuer sa tolérance. Ces pensées déterminent un comportement mal adapté vis-à-vis de la douleur. Les propos que l'on se tient à soi-même ne sont pas toujours clairement perçus. Il peut s'agir d'un simple mot, d'une courte phrase. Les pensées sont évoquées rapidement et elles sont parfois difficiles à saisir. Elles sont souvent à la limite de la conscience ; une fois identifiées, analysées, elles doivent être remplacées par des formulations positives.

Voici quelques exemples de pensées négatives à combattre (57).

« Je dois avoir quelque chose de très sérieux… de très grave… »

L'interprétation d'une douleur peut être totalement erronée, en complet désaccord avec les données médicales. Toute douleur est perçue comme le signe d'un dommage physique : fracture, brûlure, infection, inflammation… C'est comme si c'était cassé, écrasé… Par nature, la douleur évoque la perception d'une lésion, d'un danger. Il est souvent utile de neutraliser les interprétations spontanées, suggérées par la seule perception de la douleur. L'habitude d'interpréter négativement une douleur est un facteur d'accentuation.

La croyance en ce qui est perçu peut contredire ce qu'affirment les médecins. N'essayent-ils pas de me cacher la vérité ? Ces soupçons n'aident pas le patient. Une douleur peut par exemple donner l'impression d'une compression, d'un abcès, d'une infection, que seul le bistouri pourrait évacuer. Chaque fois que la douleur est ressentie, automatiquement les mêmes pensées sont évoquées, plus ou moins consciemment. Les interprétations se transforment en une conviction profonde. Aucun autre traitement ne peut paraître réellement adapté, compte tenu de cette croyance. La conviction intime est qu'il faut opérer. Mais les médecins ne proposent pas d'intervention...

La persistance d'une douleur, l'absence d'amélioration laissent à penser «qu'on n'a pas encore dû faire le bon diagnostic». Pourtant, un diagnostic correct n'apporte jamais la garantie qu'il existe obligatoirement un traitement efficace. Le malade est convaincu qu'on lui cache la vraie cause. Il n'est pas rare qu'il redoute un cancer. Puisqu'on ne lui dit pas, ça ne peut être qu'un cancer...

« Toute activité m'est impossible. »

Les activités augmentent obligatoirement la douleur. Faux! cette conception erronée est très fréquente. Elle conduit à confondre fatigue et augmentation de la douleur. Il est normal de ressentir une fatigue, une lassitude après un certain temps d'activité. Le piège des douleurs persistantes est d'interpréter ces signes de fatigue comme ceux d'une reprise de la douleur. Le patient doit connaître les activités qui lui sont possibles, le temps au-dessous duquel la douleur reste inchangée. Il y a toujours un juste milieu entre « ne rien faire du tout » et « faire comme avant la maladie ».

« Que la vie serait belle sans ma douleur. »

Il faut se garder de tenir la douleur responsable de toutes les difficultés présentes rencontrées. La douleur devient une excuse, un prétexte pour ne pas assumer certaines responsabilités. Certains problèmes se poseraient de façon identique, que la douleur soit là ou non. Ce raisonnement empêche de faire face. Même avec une douleur qui persiste, on doit se confronter aux difficultés de la vie.

« Tout le monde doit comprendre ma douleur. »

Par nature, la douleur est un phénomène individuel, privé. Elle est difficile à communiquer. Pourquoi attendre que les autres comprennent ? Que peuvent-ils comprendre ? Cette attente ne fait qu'augmenter les interactions négatives avec l'entourage.

« Personne ne peut m'aider. »

Même après l'échec de nombreux traitements, une douleur rebelle et persistante peut être améliorée. Il ne s'agit pas d'espérer une solution magique, mira-culeuse. Les objectifs doivent être en accord avec ce que les médecins pensent possible. Il s'agit rarement d'un effet «tout ou rien». L'amélioration est pos-sible, surtout lorsque toutes les facettes du problème douloureux ont été analysées.

« Il y a eu des erreurs faites. »

Toute la responsabilité de la persistance de la dou-leur est mise sur le compte d'une erreur passée : un traitement mal conduit, un médecin «incompétent» qui n'a pas su donner le traitement radical. Les erreurs existent, mais certains incidents sont totale-ment imprévisibles. Il est difficile d'affirmer l'entière responsabilité d'un traitement mal (ou non) fait. Même lorsque des avis apparemment autorisés ont confirmé l'erreur médicale, celle-ci n'explique pas nécessairement la persistance de la douleur. Cette croyance conduit le malade à ne plus assumer la res-ponsabilité de son état présent. Il attend que les autres réparent tout ce qui a été perturbé. Souvent, ce sont plus les pensées négatives qui se rapportent à l'erreur passée que l'événement en cause qui entretiennent la douleur.

Nous venons d'évoquer quelques exemples de pensées négatives se rapportant à la douleur et à son contexte. Dans la vie courante, ces pensées font obstacle à la mise en place de comportements qui peuvent contrebalancer la douleur. Elles diminuent la tolérance à la douleur. Les idées, les pensées, les croyances doivent être discutées avec les médecins car elles participent au maintien des cercles vicieux de la douleur-maladie. Souvent, lors de l'entretien clinique, la personne arrive à admettre le bien-fondé de certaines remarques. Mais, dans la vie quotidienne, elle est vite reprise par ses propres convictions. Sa vision erronée reprend le dessus. Il y a une part importante d'automatismes dans ces pensées qui sont profondément ancrées. Outre les explications, la technique d'auto-observation avec critique des pensées peut être nécessaire.

VIII

Quelques causes de douleurs rebelles

Après avoir décrit les différentes facettes de la douleur-maladie et ses mécanismes d'entretien, il nous faut examiner les causes initiales. Les douleurs les plus fréquemment rencontrées dans les consultations de la douleur sont les douleurs neurologiques, les céphalées, les lombalgies et lombosciatalgies, les douleurs post-traumatiques, les douleurs par contraction musculaire, les douleurs sans cause organique décelable. Notre but n'est pas de passer en revue ici toutes les causes possibles de douleurs rebelles, ni d'entrer dans la description détaillée de chacune d'elles. Délibérément, nous avons accordé une grande importance à la description des mécanismes d'entretien de la douleur-maladie. L'expérience montre que ces mécanismes sont rarement ou insuffisamment pris en compte dans le traitement. Pourquoi ? au moins pour les deux raisons suivantes. D'une part, il est plus facile pour un médecin de se limiter aux seuls aspects physiques que de chercher à analyser le comportement du patient vis-à-vis de sa douleur. D'autre part, parce que mal informés, les patients sont réticents à admettre l'intérêt d'une approche individuelle, psychologique. L'attitude des médecins et des malades contribue à entretenir la notion inexacte que la douleur rebelle ne peut être qu'un symptôme...

Nous n'aborderons pas les douleurs survenant au cours d'une affection cancéreuse. Le contexte propre à ces maladies pose des problèmes spécifiques, en partie distincts de ceux évoqués ici. Cela ne veut pas dire que les techniques d'autocontrôle n'ont pas leur place. Bien au contraire, chez ces patients on ne peut aucunement négliger le contexte personnel de la douleur. Précisons que le traitement des douleurs cancéreuses a été nettement amélioré par l'utilisation d'analgésiques centraux puissants et par le perfectionnement de gestes techniques de grande efficacité (41). En ce qui concerne les douleurs séquellaires survenant au secours des cancers guéris, leurs causes sont multiples, très souvent neurologiques. Dans ces cas, l'approche rejoint souvent celle de toute douleur rebelle, persistante, de cause non évolutive.

Dans la grande majorité des cas, la cause initiale d'une douleur rebelle est parfaitement connue, diagnostiquée. Ce n'est malheureusement pas une garantie pour que les traitements proposés soient obligatoirement efficaces. Faire la part de ce qui revient à la cause d'origine et à la douleur-maladie n'est jamais facile.

Aucune maladie n'est une cause systématique, obligatoire de douleur. Face à une douleur rebelle, il est plus efficace de combiner les traitements de la cause et ceux de la douleur-maladie. Ils se potentialisent les uns les autres. Souvent le traitement de la cause d'origine est bien conduit, mais celui de la douleur-maladie est insuffisant. Il ne s'agit jamais de privilégier un mode de traitement plus qu'un autre. L'attitude logique est de combiner toutes les approches possibles lorsqu'elles sont indiquées. Cette approche « globale » est utile pour les douleurs qui ne peuvent bénéficier simplement d'un traitement radical, médical ou chirurgical. Les limites des moyens existants de lutte contre la douleur sont loin d'être faciles à admettre par ceux qui souffrent.

1) Les douleurs neurologiques

Les causes habituelles de douleurs neurologiques sont les traumatismes de nerfs périphériques, les amputations, le zona, les paraplégies, les séquelles d'interventions chirurgicales. Dans ces cas, la lésion porte sur les voies de la sensibilité. Elle induit un déséquilibre dans la transmission des messages sensitifs. Les systèmes freinateurs n'exercent plus leurs contrôles inhibiteurs. Il en résulte une hyperexcitabilité du système de transmission. La peau peut devenir hypersensible au toucher. Dans ces cas, la douleur peut se localiser dans un territoire anesthésié ou absent (membre fantôme). Le mécanisme de production des douleurs neurologiques n'est pas périphérique mais central, c'est-à-dire au niveau du système nerveux. On ne doit donc pas s'étonner de l'efficacité nulle ou très faible des antalgiques périphériques. En revanche, ce sont des médicaments d'action centrale qui soulagent efficacement. Les antidépresseurs sont les médicaments les plus utiles (ANAFRANIL*, LAROXYL*). Ils agissent en renforçant l'action des neuromédiateurs centraux des systèmes de contrôle freinateurs (p. 26). Dans ces douleurs rebelles, ils sont souvent prescrits uniquement pour leur action antalgique propre, même en l'absence de toute réaction dépressive. Les doses efficaces sont atteintes progressivement. Elles sont variables d'un patient à l'autre. Les effets ne sont pas immédiats. Les délais d'action peuvent atteindre dix à quinze jours. La mise en route du traitement peut se faire sous la forme de perfusions intraveineuses réalisées en milieu hospitalier.

Les douleurs neurologiques sont souvent décrites à type d'élancements, de décharges électriques. Ces douleurs réclament l'utilisation de médicaments spécifiques, anti-épileptiques (TEGRETOL* ou RIVOTRIL*).

Les douleurs neurologiques sont dues à un manque d'activité des systèmes freinateurs. Il apparaît donc logique de chercher à les renforcer. Les douleurs neurologiques constituent une excellente indication des stimulations électriques périphériques (15).

2) La migraine

La migraine est une maladie fréquente puisqu'on estime qu'elle touche environ 10 % de la population générale. C'est une maladie plutôt féminine (trois femmes pour un homme) et liée à un facteur héréditaire. La migraine est, en soi, une maladie. On réserve cette appellation à un type de mal de tête très spécifique. Dans le langage courant, migraine est devenu synonyme de «mal de tête». Le terme médical exact pour «mal de tête» est céphalée. Cette imprécision du langage courant fait oublier que la MIGRAINE est une affection à part entière. La CÉPHALÉE PAR CONTRACTION MUSCULAIRE constitue une cause fréquente de céphalée. Ces deux douleurs peuvent être associées chez une même personne.

La douleur de la migraine est intermittente, mais persistante. Elle évolue par accès plus ou moins espacés. Lorsque les intervalles se rapprochent, elle peut devenir rebelle et handicapante. Nous n'entrerons pas ici dans la description détaillée des différentes formes de migraines. Signalons simplement qu'il en existe de nombreuses formes cliniques. Le diagnostic se fait d'après la description de la douleur. Il n'existe pas d'examens biologiques pour faire la preuve d'une migraine. Ils ne sont d'ailleurs pas nécessaires. Quand les médecins les demandent, c'est plus pour éliminer une autre cause de mal de tête, pour s'assurer qu'il n'y a rien de plus grave. Même lorsque la migraine s'accompagne de signes digestifs ou survient à la période des règles, il n'y a rien à rechercher au niveau hépatique ou endocrinien (foie et glandes).

Le mécanisme de la douleur migraineuse est vasculaire. Il a été précisé par des explorations qui ne sont pas effectuées en routine. Les artères crâniennes du migraineux possèdent une réactivité particulière qui évolue en deux temps. Lors de la phase qui précède l'accès migraineux, on observe une constriction des vaisseaux. Elle correspond à certains signes annonciateurs de la migraine. L'accès douloureux proprement dit correspond à une dilatation des vaisseaux. Ces manifestations vasomotrices mettent en jeu divers médiateurs chimiques. On sait avec certitude que cette réactivité des vaisseaux crâniens ne traduit pas une perturbation grave des vaisseaux cérébraux. Il n'y a aucun lien avec l'athérosclérose par exemple.

Cette réactivité vasculaire particulière est déclenchée par de nombreux facteurs, digestifs, endocriniens, psychologiques... Les aliments habituellement responsables sont le chocolat, les vins blancs. Les facteurs endocriniens sont les règles. Les facteurs psychologiques sont les situations stressantes : contrariétés, frustrations, colères rentrées, modifications du rythme de vie... Le lien entre les facteurs de stress et le déclenchement d'une crise de migraine n'est pas toujours facile à mettre en évidence. Dans certains cas, c'est paradoxalement lors des moments de détente que la crise débute : migraine du week-end !... Malgré l'influence favorisante de tous ces facteurs, la migraine est une maladie ni digestive, ni endocrinienne, ni psychologique.

On dispose de nombreux médicaments actifs contre la migraine. On doit bien distinguer le traitement de la crise qui est symptomatique et le traitement de fond qui est préventif. Le patient migraineux doit être parfaitement informé sur l'utilisation correcte de chacun des traitements. Un médicament de la crise (GYNERGÈNE CAFÉINE* par exemple) se prend dès les premiers signes de l'accès migraineux. Une précaution élémentaire, mais très utile, est de toujours conserver sur soi de quoi traiter à temps une crise débutante. L'intérêt d'un traitement de fond se décide en fonction du handicap de chaque cas.

Les traitements médicamenteux peuvent être très efficaces même s'ils ne guérissent pas définitivement, même s'ils ne soulagent pas à 100 %. Il faut savoir apprécier les résultats de façon nuancée, sans être trop perfectionniste. Un traitement efficace n'empêche pas quelques crises de temps en temps. Médecin et malade doivent être d'accord sur ce qui peut être fait. Une crise forte mais exceptionnelle ne doit pas faire méconnaître de longues périodes d'accalmie. Une auto-observation de la fréquence, de la durée et de l'intensité de chaque crise, est un moyen très utile pour suivre l'évolution de la migraine. Cette technique permet de juger objectivement de l'intérêt des traitements de fond entrepris.

Le rôle favorisant des facteurs de stress est une indication des techniques de relaxation. Chez le migraineux, il existe des procédés plus spécifiques comme le biofeedback thermique (p. 153). Cette technique permet d'apprendre à mieux contrôler la réactivité des vaisseaux et à modifier intentionnellement la température cutanée.

3) Les lombalgies et lombosciatalgies

La LOMBALGIE, dans le langage courant, c'est la douleur « des reins ». Il existe divers types de lombalgies. Elles sont une cause fréquente de douleurs rebelles. La colonne vertébrale (ou rachis) est formée par la superposition de trente-trois vertèbres. De bas en haut, on décrit le coccyx, le sacrum, cinq vertèbres lombaires, douze vertèbres dorsales, sept vertèbres cervicales. Un disque intervertébral sépare chaque vertèbre. Sur le plan mécanique, le disque possède un rôle d'amortisseur. Il est soumis à des forces considérables lors des efforts de soulèvement. Il peut s'user. Une des causes de lombalgie tient à l'insuffisance du disque intervertébral. Les muscles paravertébraux ont également un rôle important dans la mécanique de la colonne vertébrale. Une bonne musculature soulage la colonne des contraintes mécaniques.

La douleur de la lombalgie commune par insuffisance discale est mécanique. C'est-à-dire qu'elle est déclenchée par des efforts de soulèvement, la flexion, le redressement, par les stations prolongées debout ou assise. Elle est calmée par le repos. Le patient qui souffre d'une lombalgie commune, mécanique, doit apprendre à ménager sa colonne. Il doit savoir éviter les contraintes excessives (efforts de soulèvement, transport de charges lourdes, mouvements de flexion). Les gestes de la vie courante exposent la colonne à de nombreuses contraintes mécaniques. Il y a des bonnes habitudes à acquérir pour soulager la colonne. Il y en a de mauvaises à éliminer. Grâce à la rééducation, ces nouvelles habitudes deviendront automatiques.

On conseille souvent au lombalgique de mettre régulièrement au repos sa colonne, deux à trois fois par jour par exemple. La position de repos consiste à s'installer confortablement en position allongée, un coussin sous la nuque, les membres inférieurs fléchis pour décambrer la région lombaire. On peut profiter de ces pauses pour pratiquer des exercices de relaxation, orientés vers la détente des muscles paravertébraux. La contraction musculaire associée est une source fréquente de douleur secondaire.

La sciatique désigne une douleur qui irradie dans le membre inférieur selon le trajet du nerf sciatique. Cette douleur est due à la compression d'une racine nerveuse par la hernie du disque intervertébral. Toutes les douleurs irradiant dans les membres inférieurs ne sont pas des sciatiques, dues à une compression nerveuse. Ces «fausses sciatiques» sont en fait des douleurs «projetées» (p. 62). Elles n'ont pas du tout la même signification que la sciatique par hernie discale. Elles ne sont pas nécessairement des indications pour la chirurgie.

4) *Les douleurs par « contraction musculaire »*

De nombreuses douleurs rebelles sont dues à une contraction musculaire exagérée. Les formes cliniques sont nombreuses. La contraction musculaire peut être secondaire à une douleur neurologique, à une migraine ou une lombalgie. Elle peut apparaître comme une cause primaire. C'est le cas des céphalées par contraction musculaire, de certaines formes de douleur du dos (dorsalgies) ou du cou (cervicalgies). Une contraction musculaire peut être entretenue par des mécanismes physiques et psychologiques. La posture, le mouvement et le stress sont autant de facteurs favorisant des tensions musculaires. Une fois installée, une douleur musculaire peut s'auto-entretenir par un mécanisme de cercle vicieux.

En elle-même, la contraction d'un muscle n'est

pas douloureuse. Lorsqu'on fait un mouvement, on ne provoque aucune douleur. Ce qui cause la douleur c'est l'accumulation de substances chimiques algogènes. Ces substances sont libérées lorsque le muscle travaille de façon accrue. Il y a un décalage dans le temps entre la contraction musculaire exagérée et l'apparition de la douleur. C'est après plusieurs heures de contraction soutenue qu'un muscle va devenir douloureux. Le mécanisme est comparable à celui des courbatures survenant après un effort physique. Une fois installée, la douleur ne va pas céder immédiatement du fait de la détente musculaire. Il faut un certain temps pour que les substances algogènes soient éliminées. Lorsque la douleur retentit sur la motricité, il faut une rééducation adaptée pour redonner une musculation satisfaisante. Ces douleurs sont souvent entretenues par non-utilisation. Le patient devra apprendre à effectuer certaines activités en utilisant le niveau de tension musculaire minimum nécessaire.

Dans d'autres douleurs, le problème est celui du contrôle des facteurs de stress. Cet aspect est souvent prédominant, comme dans les céphalées par contraction musculaire par exemple. Les techniques de relaxation ou de biofeedback électromyographique sont très utiles (p. 149). Les manœuvres de contre-stimulations habituellement efficaces sont la chaleur et le massage des points musculaires douloureux.

5) Les douleurs « sans lésion »

Une douleur rebelle sans lésion véritable est un paradoxe. C'est souvent après de nombreux mois de recherches infructueuses que le patient s'entend dire : « On ne voit rien. » Le patient, qui a vécu pendant des mois d'attente avec l'idée qu'on allait bientôt trouver une cause, peut difficilement accepter qu'il n'y a plus rien à faire. Ne faut-il pas continuer les recherches ? Comment comprendre cette douleur sans cause visible ? On ne doit pas s'étonner que les conseils comme : « Ce n'est plus de ma compétence, il faut aller voir un psychiatre », soient mal compris. Pourtant, en les conseillant ainsi, les médecins ne font que chercher à les aider...

Toutes les douleurs localisées dans le corps ne sont pas en rapport avec des lésions physiques. On connaît par exemple le point de côté après un effort musculaire, les spasmes abdominaux douloureux dus à la peur ou au trac, les douleurs musculaires diffuses à type de courbatures après une nuit d'insomnie... On ne doit pas s'étonner que des états de tensions psychologiques causent des douleurs. Ces douleurs « sans cause organique », « sans lésion », doivent être comprises comme la manifestation physique d'une réaction émotionnelle. Les signes habituels des émotions passagères sont des crispations, des tensions musculaires, des douleurs abdominales, des palpitations, une oppression respiratoire. Les mêmes manifestations peuvent se prolonger et être entretenues par des mécanismes de cercles vicieux. Dans ce type de douleur, les examens n'ont rien à montrer. L'absence de lésion doit être comprise comme une nouvelle rassurante.

Face à ces douleurs sans lésion, le médecin somaticien est le plus souvent désarmé. Sa formation ne l'a pas toujours préparé à aborder ces problèmes. Il ne dispose pas non plus toujours du temps nécessaire pour analyser en détail le comportement d'un patient. Les spécialistes qui sont préparés à écouter les patients sont les psychiatres. Ils sont les mieux placés de par leur formation pour analyser les difficultés personnelles éprouvées par celui qui souffre.

De même que toute douleur persistante peut

engendrer l'anxiété et la dépression, le phénomène inverse s'observe. Un état anxieux ou dépressif peut causer de la douleur. Il est parfois difficile de trancher, d'affirmer après coup qu'il n'y a pas eu un facteur local qui n'est plus retrouvé. L'important est d'admettre que la douleur qui se prolonge affecte celui qui l'endure. Le plus souvent, c'est en prenant en compte toutes les facettes des cercles vicieux que l'on peut envisager des solutions.

Psychiatres et psychologues font partie des équipes pluridisciplinaires des consultations de la douleur (14, 20). C'est leur collaboration qui a fait apparaître les insuffisances d'un abord de la douleur rebelle limité aux seuls aspects physiques. Il est devenu évident aujourd'hui qu'une approche interdisciplinaire, physique et psychologique, est indispensable. Les techniques de contrôle que nous évoquons ici sont un exemple d'un domaine transitionnel, à la fois physiologique et psychologique. Dans la pratique, des médecins de formations différentes sont amenés à utiliser ces techniques (16).

Consulter un psychiatre ou un psychologue ne veut pas dire obligatoirement « folie », « maladie mentale ». Le psychiatre, en particulier celui qui s'est spécialisé dans le traitement de la douleur, peut aider le patient de différentes façons. Il peut lui apprendre à se comporter vis-à-vis de la douleur au moyen des méthodes comportementales que nous décrivons dans cet ouvrage (25, 26, 28). Il peut aussi l'aider à identifier la signification de sa douleur. Il aide la personne à répondre à cette question souvent posée : pourquoi moi ? En apportant les éléments de réponse à cette question, celui qui souffre peut modifier son comportement vis-à-vis de sa douleur ou de sa maladie (9, 52).

DEUXIÈME PARTIE

Analyser

Affirmons-le clairement : cet ouvrage ne s'adresse pas à des patients sans médecin. Il n'est sans doute pas nécessaire d'insister sur la NÉCESSITÉ D'UN DIAGNOSTIC MINUTIEUX DE LA CAUSE D'ORIGINE. Cet ouvrage se veut avant tout un aide-mémoire, un guide explicatif. Les personnes souffrant de douleurs rebelles et persistantes ont en règle générale besoin d'une aide spécialisée. On doit également poser la question de la prévention des états douloureux persistants. Nous pensons que les personnes souffrant depuis peu pourraient mettre à profit la lecture de cet ouvrage. Il devrait les encourager à adopter le plus tôt possible les comportements adaptés pour prévenir l'installation de la douleur-maladie.

Dans la première partie, nous avons distingué quatre composantes à la douleur-maladie : la sensation douloureuse, l'émotion douloureuse, l'interprétation de la douleur, le comportement douloureux. Considérer isolément ces facettes est bien entendu trop schématique. Les interactions sont multiples. Chacune se conjugue avec les autres. Toutefois, le principe de l'analyse d'une douleur rebelle est bien de chercher à isoler des aspects plus limités, plus circonscrits. Ils deviennent ainsi plus contrôlables séparément. Chaque facette permet d'envisager une ou plusieurs stratégies correspondantes pour faire face. C'est en répétant des petits changements, en les additionnant, que les changements notables sont obtenus. Il faut donc démanteler, fragmenter la douleur-maladie. Cette seconde partie propose une méthode pour analyser les divers facteurs d'entretien de la douleur-maladie.

Conduire l'analyse d'une douleur rebelle n'est pas facile. Pour la personne concernée, certains faits essentiels peuvent apparaître des détails sans importance. Une erreur fréquente est de ne chercher que des problèmes vraiment majeurs. C'est aussi une mauvaise adaptation quotidienne à des faits mineurs qui est nocive. Ce sont les gouttes d'eau qui remplissent et font déborder le vase !

Analyser les possibles facteurs d'entretien d'une douleur-maladie, c'est émettre des hypothèses et chercher à les vérifier. Il est exceptionnel qu'un patient sache spontanément identifier ces facteurs et se comporter face à une douleur persistante. Certaines attitudes peuvent être tout à fait adaptées. Celles qui le sont moins sont souvent méconnues, ignorées de la personne. Le but de l'analyse est leur mise en évidence. La démarche que nous proposons est « comportementale » (26, 28). Elle se centre sur l'étude des réactions observables dans une situation précise. Quelles sont les réactions, les comportements qui sont adoptés face à un événement donné, un problème précis ? Sont-ils adaptés ? Comment les modifier ? On observe une réaction, son évolution dans le temps, son enchaînement. On étudie comment ces comportements interagissent avec ceux de l'entourage.

I

Les questionnaires

Une première évaluation de la douleur-maladie peut être réalisée grâce à une batterie de questionnaires. Ce sont des outils fréquemment utilisés dans les consultations de la douleur. Ils permettent de reconnaître les facettes de la douleur-maladie, de suivre l'évolution dans le temps, de faire des comparaisons avant, pendant et après un traitement. Répondre à des questions standardisées constitue un début d'analyse qui complète les entretiens cliniques. Le premier objectif est de reformuler les difficultés en d'autres termes que : « J'ai très mal » ; « J'ai constamment mal. »

1) Les variations du niveau de douleur

Le niveau d'une douleur est exceptionnellement stable. Il varie d'un moment à l'autre, d'un jour à l'autre. Savoir reconnaître les variations du niveau de douleur est une étape importante. Secondairement, on cherchera à relier ces fluctuations aux circonstances qui les déterminent. Ces facteurs d'influence donnent des clés pour élaborer une stratégie de contrôle. Malgré les difficultés à « mesurer » la douleur, on peut recourir à un système de notation, une sorte de thermomètre personnel pour apprécier le niveau d'une douleur. Le procédé le plus simple est de donner une note de 0 à 10 : 0 correspond à « pas de douleur », à « je n'ai pas mal », 10 correspond à « maximum de douleur imaginable ». Plus le niveau est élevé, plus la note est proche de 10. Il est donc possible d'établir son propre système de notation du niveau de douleur.

Si l'on représente les variations du niveau de douleur, comme sur une courbe de température, on peut distinguer deux types de douleur :

– les douleurs « intermittentes », avec des périodes, de durée variable, sans aucune douleur (Fig. 6 A) ;

– les douleurs « permanentes », quotidiennes, persistantes, du matin au soir, avec toutefois des variations d'intensité (Fig. 6 B).

L'existence d'un fond douloureux permanent peut gêner considérablement l'appréciation des variations. Très souvent, les personnes qui présentent ce type

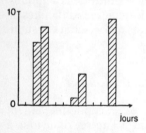 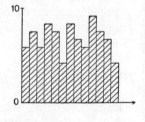

A = douleur intermittente   B = douleur permanente

Fig. 6 A et B : Courbes de douleur en fonction du temps. Le niveau de douleur est noté de 0 à 10. La Fig. 6 A représente une douleur intermittente. La Fig. 6 B représente une douleur permanente. On observe toutefois des fluctuations du niveau de base de la douleur.

de douleur pensent que leur douleur ne varie pas. C'est l'auto-observation pluriquotidienne qui permettra de mettre en évidence les changements de degrés. Il faut partir du principe qu'il existe toujours «des hauts et des bas» sur un niveau de base constant. En cas de douleur permanente, ce sont les variations sur le niveau de base qui apporteront des éléments de compréhension des facteurs d'influence positifs et négatifs. L'objectif est d'établir des relations entre des variations du niveau de douleur et certaines circonstances particulières.

Le questionnaire I porte sur les facteurs d'influence d'une douleur. Il faut répondre par une note de 0 à 10, en utilisant le code : 0 = pas de douleur ; 10 = douleur maximum imaginable.

QUESTIONNAIRE I

QUEL EST VOTRE NIVEAU DE DOULEUR

HABITUEL ?
LE PLUS IMPORTANT ?
LE PLUS FAIBLE ?
À L'INSTANT PRÉSENT ?

EN POSITION ALLONGÉE ?
EN POSITION ASSISE ?
EN POSITION DEBOUT ?
EN MARCHANT ?

SI VOUS VOUS CONCENTREZ SUR LA DOULEUR ?
SI VOUS VOUS CONCENTREZ DANS UNE ACTIVITÉ INTÉRES-
    SANTE ?

LORSQUE VOUS APPLIQUEZ DU FROID ?
LORSQUE VOUS APPLIQUEZ DU CHAUD ?
LORSQUE VOUS VOUS MASSEZ ?

LORSQUE VOUS ÊTES AU TRAVAIL ?
LORSQUE VOUS ÊTES EN WEEK-END ?
LORSQUE VOUS REGARDEZ LA TÉLÉVISION ?
LORSQUE VOUS ÉCOUTEZ LA RADIO ?

LORSQUE VOUS AVEZ MAUVAIS MORAL ?
LORSQUE VOUS ÊTES ÉNERVÉ ?
LORSQUE VOUS DISCUTEZ CALMEMENT AVEC DES AMIS ?

Il est tout à fait normal d'hésiter sur certaines réponses. Plutôt que de répondre «intellectuellement», faites l'expérience de tester réellement l'influence de ces facteurs. L'auto-observation quotidienne aura pour but de faire découvrir comment la douleur varie au long de la journée, au gré des circonstances. Il faut se garder de penser qu'*a priori* une douleur ne peut varier dans telle ou telle condition. Rappelons, si c'était encore utile, que toute douleur rebelle subit normalement des influences positives ou négatives de facteurs variés : mécaniques, physiologiques et psychologiques.

2) *Le vocabulaire de la douleur*

De nombreux qualificatifs peuvent être utilisés pour décrire une douleur. Nous avons mentionné le «Mc Gill Pain Questionnaire» de Melzack (46) (p. 54) (46, 48). Une adaptation française dénommée QUESTIONNAIRE DOULEUR SAINT-ANTOINE a été mise au point (17, 18, 19).

QUESTIONNAIRE DOULEUR SAINT-ANTOINE

Décrire la douleur telle que vous la ressentez en général. Sélectionner les qualificatifs qui correspondent bien à ce que vous ressentez. Dans chaque groupe de mots, choisir le mot le plus exact. Préciser la réponse en donnant une note de 0 à 4 selon le code suivant :

0	absent	pas du tout
1	faible	un peu
2	modéré	moyennement
3	fort	beaucoup
4	extrêmement fort	extrêmement

BATTEMENTS
PULSATIONS
ÉLANCEMENTS
EN ÉCLAIRS
DÉCHARGES ÉLECTRIQUES
COUPS DE MARTEAU

RAYONNANTE
IRRADIANTE

PIQÛRE
COUPURE
PÉNÉTRANTE
TRANSPERÇANTE
COUPS DE POIGNARD

PINCEMENT
SERREMENT
COMPRESSION
ÉCRASEMENT
EN ÉTAU
BROIEMENT

PICOTEMENTS
FOURMILLEMENTS
DÉMANGEAISONS

ENGOURDISSEMENT
LOURDEUR
SOURDE

FATIGANTE
ÉPUISANTE
ÉREINTANTE

NAUSÉEUSE
SUFFOCANTE
SYNCOPALE

INQUIÉTANTE
OPPRESSANTE
ANGOISSANTE

HARCELANTE
OBSÉDANTE
CRUELLE
TORTURANTE

TIRAILLEMENT	SUPPLICIANTE
ÉTIREMENT	
DISTENSION	GÊNANTE
DÉCHIRURE	DÉSAGRÉABLE
TORSION	PÉNIBLE
ARRACHEMENT	INSUPPORTABLE
CHALEUR	ÉNERVANTE
BRÛLURE	EXASPÉRANTE
	HORRIPILANTE
FROID	
GLACE	DÉPRIMANTE
	SUICIDAIRE

3) Les activités

Le questionnaire ci-dessous étudie les modifications dans les activités quotidiennes survenues depuis l'apparition de la douleur. Répondez en entourant les réponses correctes.

	1	2	3	4
1 – Mon temps de marche, les distances que je peux faire ont diminué.	Pas du tout	Un peu	Modérément	Beaucoup
2 – Quand je marche, on peut voir que j'ai mal.	Presque jamais	Quelquefois	Souvent	Presque toujours
3 – Dans la journée, je reste allongé la plupart du temps.	Presque jamais	Quelquefois	Souvent	Presque toujours
4 – Mes activités professionnelles ont diminué.	Pas du tout	Un peu	Modérément	Beaucoup
5 – Je fais comme d'habitude le travail quotidien de la maison.	Presque jamais	Quelquefois	Souvent	Presque toujours

106

6 – Mon temps de loisirs a diminué (lecture, radio, télévision…).	Pas du tout	Un peu	Modérément	Beaucoup
7 – Mes relations avec mes amis ont diminué.	Pas du tout	Un peu	Modérément	Beaucoup
8 – Je parle de ma douleur avec ma famille, mes amis.	Presque jamais	Quelquefois	Souvent	Presque toujours
9 – Je porte souvent la main pour frotter, tenir, protéger ou masser la région de ma douleur.	Presque jamais	Quelquefois	Souvent	Presque toujours
10 – Les gens qui m'entourent se rendent compte quand j'ai bien mal.	Presque jamais	Quelquefois	Souvent	Presque toujours
11 – Il m'arrive de prendre un médicament même si je le sais très peu efficace.	Presque jamais	Quelquefois	Souvent	Presque toujours
12 – Je dors bien.	Presque jamais	Quelquefois	Souvent	Presque toujours
13 – Je me sens fatigué.	Presque jamais	Quelquefois	Souvent	Presque toujours
14 – J'ai bon appétit.	Presque jamais	Quelquefois	Souvent	Presque toujours
15 – Mon intérêt pour les choses sexuelles a diminué.	Pas du tout	Un peu	Modérément	Beaucoup

4) L'état moral

Les questionnaires de Spielberger (63) sur l'anxiété et de Beck (7) sur la dépression précisent les aspects émotionnels associés à la douleur.

QUESTIONNAIRE DE SPIELBERGER

Consigne : Voici un certain nombre d'énoncés que les gens ont l'habitude d'utiliser pour se décrire. Lisez chaque énoncé, puis encerclez le chiffre approprié à droite de l'exposé pour indiquer comment vous vous sentez présentement, c'est-à-dire *à ce moment précis.* Il n'y a pas de bonnes ou de mauvaises réponses. Ne vous attardez pas trop sur chaque énoncé mais donnez la réponse qui vous semble décrire le mieux les sentiments que vous éprouvez *en ce moment.*

	PAS DU TOUT	UN PEU	MODÉRÉMENT	BEAUCOUP
1. Je me sens calme	1	2	3	4
2. Je me sens en sécurité	1	2	3	4
3. Je suis tendu(e)	1	2	3	4
4. Je suis triste	1	2	3	4
5. Je me sens tranquille	1	2	3	4
6. Je me sens bouleversé(e)	1	2	3	4
7. Je suis préoccupé(e) actuellement par des contrariétés possibles	1	2	3	4
8. Je me sens reposé(e)	1	2	3	4
9. Je me sens anxieux(se)	1	2	3	4
10. Je me sens à l'aise	1	2	3	4
11. Je me sens sûr(e) de moi	1	2	3	4
12. Je me sens nerveux(se)	1	2	3	4

	PAS DU TOUT	UN PEU	MODÉRÉMENT	BEAUCOUP
13. Je suis affolé(e)	1	2	3	4
14. Je me sens sur le point d'éclater ...	1	2	3	4
15. Je suis relaxé(e)	1	2	3	4
16. Je me sens heureux(se)	1	2	3	4
17. Je suis préoccupé(e)	1	2	3	4
18. Je me sens surexcité(e) et fébrile .	1	2	3	4
19. Je me sens joyeux(se)	1	2	3	4
20. Je me sens bien	1	2	3	4

QUESTIONNAIRE DE BECK

Instructions :

Ce questionnaire comporte plusieurs séries de quatre propositions. Pour chaque série, lisez les quatre propositions, puis choisissez celle qui décrit le mieux votre état actuel.

Entourez le numéro qui correspond à la proposition choisie.

A – Je ne me sens pas triste.   0
  – Je me sens cafardeux ou triste.   1
  – Je me sens tout le temps cafardeux ou triste, et je n'arrive pas à en sortir.   2
  – Je suis si triste et si malheureux que je ne peux pas le supporter.   3

B – Je ne suis pas particulièrement découragé ni pessimiste au sujet de l'avenir.   0

	– J'ai un sentiment de découragement au sujet de l'avenir.	1
	– Pour mon avenir, je n'ai aucun motif d'espérer.	2
	– Je sens qu'il n'y a aucun espoir pour mon avenir, et que la situation ne peut s'améliorer.	3
C	– Je n'ai aucun sentiment d'échec de ma vie.	0
	– J'ai l'impression que j'ai échoué dans ma vie plus que la plupart des gens.	1
	– Quand je regarde ma vie passée, tout ce que j'y découvre n'est qu'échecs.	2
	– J'ai un sentiment d'échec complet dans toute ma vie personnelle (dans mes relations avec mes parents, mon mari, ma femme, mes enfants).	3
D	– Je ne me sens pas particulièrement insatisfait.	0
	– Je ne sais pas profiter agréablement des circonstances.	1
	– Je ne tire plus aucune satisfaction de quoi que ce soit.	2
	– Je suis mécontent de tout.	3
E	– Je ne me sens pas coupable.	0
	– Je me sens mauvais ou indigne une bonne partie du temps.	1
	– Je me sens coupable.	2
	– Je me juge très mauvais, et j'ai l'impression que je ne vaux rien.	3
F	– Je ne suis pas déçu par moi-même.	0
	– Je suis déçu par moi-même.	1
	– Je me dégoûte moi-même.	2
	– Je me hais.	3
G	– Je ne pense pas à me faire du mal.	0
	– Je pense que la mort me libérerait.	1
	– J'ai des plans précis pour me suicider.	2
	– Si je le pouvais, je me tuerais.	3

H – Je n'ai pas perdu l'intérêt pour les autres gens. 0
– Maintenant, je m'intéresse moins aux autres gens qu'autrefois. 1
– J'ai perdu tout l'intérêt que je portais aux autres gens, et j'ai peu de sentiments pour eux. 2
– J'ai perdu tout intérêt pour les autres, et ils m'indiffèrent totalement. 3

I – Je suis capable de me décider aussi facilement que de coutume. 0
– J'essaie de ne pas avoir à prendre de décision. 1
– J'ai de grandes difficultés à prendre des décisions. 2
– Je ne suis plus capable de prendre la moindre décision. 3

J – Je n'ai pas le sentiment d'être plus laid qu'avant. 0
– J'ai peur de paraître vieux ou disgracieux. 1
– J'ai l'impression qu'il y a un changement permanent dans mon apparence physique, qui me fait paraître disgracieux. 2
– J'ai l'impression d'être laid et repoussant. 3

K – Je travaille aussi facilement qu'auparavant. 0
– Il me faut faire un effort supplémentaire pour commencer à faire quelque chose. 1
– Il faut que je fasse un très grand effort pour faire quoi que ce soit. 2
– Je suis incapable de faire le moindre travail. 3

L – Je ne suis pas plus fatigué que d'habitude. 0
– Je suis fatigué plus facilement que d'habitude. 1
– Faire quoi que ce soit me fatigue. 2
– Je suis incapable de faire le moindre travail. 3

M – Mon appétit est toujours aussi bon. 0
– Mon appétit n'est pas aussi bon que d'habitude. 1
– Mon appétit est beaucoup moins bon maintenant. 2
– Je n'ai plus du tout d'appétit. 3

Au terme de cette première évaluation par questionnaires, certaines facettes de la douleur rebelle peuvent commencer à apparaître. Certaines réponses peuvent servir de base pour faciliter l'auto-observation quotidienne.

Tenir un journal

Il importe maintenant d'observer comment les sensations, les sentiments, l'état moral, les pensées, les activités évoluent dans le temps et interagissent pour auto-entretenir la DOULEUR-MALADIE. L'observation doit porter sur les événements tels qu'ils se déroulent. Nous proposons d'observer une situation donnée grâce à trois groupes de questions :

1) Quelles sont les composantes d'une réaction, à un moment donné ?

On observe les sensations, les émotions, les pensées, les images, les activités d'une réaction. Dans un but mnémotechnique, nous la désignerons réaction « SEPIA » (40) :

> S pour Sensations,
> E pour Émotions,
> P pour Pensées,
> I pour Images,
> A pour Activités.

2) Comment la réaction évolue-t-elle dans le temps ?

Quelles sont les circonstances déclenchantes ? Quelles sont les conséquences qui s'enchaînent ? Nous appellerons ce système «Avant/Pendant/Après» (APA).

3) Quelles sont les interactions avec les autres, l'entourage ?

Les réactions personnelles doivent être analysées en relation avec celles de l'entourage. Comment les autres réagissent-ils ? Cette réaction est-elle plutôt positive, négative ?

La Figure 7 schématise ces trois catégories d'observations et leurs interactions réciproques.

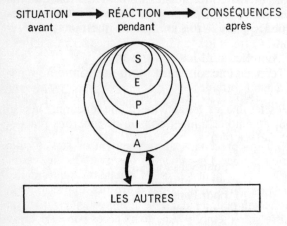

SITUATION ➡ RÉACTION ➡ CONSÉQUENCES
avant   pendant   après

S
E
P
I
A

LES AUTRES

1) L'auto-observation quotidienne

Tenir un journal aide à mieux s'observer. Dans la vie courante, les individus prennent rarement du recul par rapport à leur comportement. Un conducteur entraîné ne prend pas conscience de toutes les opérations successives qu'il doit effectuer pour conduire son véhicule. Cet exemple, parmi d'autres, illustre comment un comportement quotidien qui nécessitait au début un contrôle de chaque geste devient progressivement une habitude, un automatisme. Il en va de même pour nos comportements et en particulier lorsqu'il s'agit de réagir à une douleur ou à un stress. Ces comportements sont pour une part importante guidés par des automatismes. Rarement celui qui souffre a une connaissance exacte de sa façon de réagir. Il connaît rarement les vrais facteurs d'influence du niveau de sa douleur. L'auto-observation apprend à devenir attentif à ses propres réactions. Cette étape rendra plus faciles les possibilités de contrôle.

Tenir un journal signifie donc que l'on note régulièrement certaines observations. On les reporte dans le journal de bord, au fur et à mesure, car la mémoire fait très rapidement défaut. On cherche à saisir les événements, les pensées, les images, les comportements qui précèdent, accompagnent ou suivent une action donnée. On rédige les observations en courtes phrases. On peut s'inspirer de la formulation des questionnaires. Il n'y a pas d'erreurs à faire. Il n'y a pas à avoir peur de mal faire. L'important est que l'on puisse se remémorer, une fois l'accès passé, la façon dont on a réagi. On pourra ainsi mettre à profit les consultations en décrivant avec plus de détails ses propres réactions et envisager comment les modifier.

Le journal aide à :
– s'observer périodiquement ;
– observer l'enchaînement d'une réaction ;
– faire des synthèses ;
– envisager des solutions.

A) S'OBSERVER PÉRIODIQUEMENT

La première étape est d'apprendre à évaluer périodiquement divers aspects cibles de son comportement. Par exemple, noter périodiquement les niveaux de douleur et de tension, les activités en cours. Dans chaque cas, il faut définir un ou deux comportements à observer. La notation de 0 à 10 utilisée pour la douleur peut être appliquée au niveau de tension ou à d'autres données d'observation. Il ne faudrait pas que cette observation envahisse l'emploi du temps ; on peut proposer par exemple de noter sur des périodes de trois heures. L'exemple du Tableau IV montre un extrait d'un autojournal.

On peut tirer plusieurs informations de l'observation du Tableau IV. Il y a une évolution parallèle des niveaux de douleur et de tension. La douleur diminue pendant les périodes de repos et augmente lors des périodes d'activité. On peut s'interroger sur les facteurs favorisants l'accès de douleur à 13 h. Dans quelle mesure la visite surprise d'amis représentait-elle un événement stressant ?

Tableau IV

*Exemple d'auto-observation quotidienne
dans un journal de bord*

DATE : 18/10/84			
	DOULEUR	TENSION	ACTIVITÉS
7/10 h	5	3	toilette
			petit déjeuner
10/13 h	2	1	repos allongé
13/16 h	7	10	repas
			visite surprise d'amis
16/19 h	8	9	sortie, marche
20/23 h	0	1	télévision
			allongé

En répétant quotidiennement ce type d'observation, pendant une période de quinze jours à trois semaines, on peut mieux apprécier les facteurs d'influence sur la douleur. Cette période de contrôle servira de référence pour juger des progrès.

B) OBSERVER L'ENCHAÎNEMENT D'UNE RÉACTION

L'étape suivante est d'apprendre à relier les événements favorisants (avant), la réaction et ses différentes composantes, et ses conséquences pour soi-même et les autres (après). On cherche à mieux observer l'enchaînement d'une réaction avec ses relations entre le niveau de douleur, certaines modifications dans l'environnement, des pensées, des émotions, des activités. Ce sont souvent les mêmes séquences qui accentuent ou apaisent la douleur. En détaillant un exemple précis, on trouvera plus facilement les solutions qui pourront être utilisées dans des situations analogues. L'observation doit, avant tout, porter sur

117

les faits. Secondairement, on cherchera des interprétations. Le Tableau V présente un guide pour analyser une réaction.

Tableau V

*Questions guidant l'observation de l'enchaînement
d'une réaction*

DATE :	HEURE :	
SITUATION (avant)	RÉACTION (pendant)	CONSÉQUENCES (après)
où ?	sensation ?	que faites-vous ?
quand ?	émotion ?	ou ne faites-vous pas ?
pourquoi ?	pensées ?	que font les autres ?
avec qui ?	images ?	qu'auriez-vous pu faire ?
comment ?	activités ?	

L'auto-observation porte sur ce qui peut favoriser la douleur (activités, facteurs de stress) et sur ce qui peut l'atténuer (détournement de l'attention, activités plaisantes, repos). On peut observer ses réactions dans les situations connues pour interagir avec le niveau de douleur. Parfois, l'observation met en évidence des situations apparemment «paradoxales». L'important est de relever les faits tels qu'ils sont observés. Les interprétations se feront dans un second temps. Ainsi, Mme G. observe que son mal de tête survient dans des moments de détente qui succèdent à une accumulation de facteurs de stress. Mme M. note que son mal de tête est déclenché par des situations qui comportent une excitation joyeuse.

C) FAIRE DES SYNTHÈSES

Les facteurs d'influence qui accentuent ou diminuent l'intensité d'une douleur n'agissent pas de façon mécanique, systématique, constante, obligatoire. Les effet sont variables selon les circonstances. Il faut donc rechercher une tendance, une plus grande probabilité que l'on apprécie en pourcentage. Les facteurs d'atténuation de la douleur guideront le choix des techniques de contrôle. Leur pratique, leur perfectionnement permettront d'augmenter l'intensité et la fréquence des effets favorables déjà observés.

Les synthèses porteront sur les points suivants :

1) Qu'est-ce qui atténue la douleur ?
2) Qu'est-ce qui favorise, amplifie la douleur ?
3) Qu'est-ce qui est cause de stress, d'inconfort ?
4) Quelles activités ne sont plus possibles ?
5) Quelles activités doivent être développer, reprises ?
6) Quels sont les progrès réalisés ?

On peut classer les réponses aux questions selon leur importance, leur fréquence. On range par ordre croissant ce qui calme ou accentue la douleur. On classe par ordre de difficulté croissante les activités à développer.

D) ENVISAGER DES SOLUTIONS

L'observation quotidienne permet d'envisager des solutions aux difficultés rencontrées :

– Comment mieux programmer ses activités ?
– Quand, comment utiliser une technique d'auto-contrôle de la douleur ?
– Comment agir préventivement sur les facteurs accentuant la douleur ?
– Quels comportements maladaptés pourraient être modifiés ?
– Quels comportements adaptés pourraient être renforcés ?

2) La réaction « SEPIA »

Examinons plus en détail les diverses composantes du comportement douloureux. L'auto-observation doit porter non seulement sur les variations de niveau de la douleur, mais également sur les émotions, les pensées, les images, les activités qui l'accompagnent. Même si ces composantes ne sont pas obligatoirement systématiquement présentes, comment se combinent-elles ? Comment évoluent-elles dans le temps ?

A) « S » POUR SENSATION

Même si la douleur est permanente, quotidienne, du matin au soir, son niveau n'est jamais vraiment constant. Il varie de degrés, selon les moments. L'auto-observation va permettre de préciser ces variations. Certains patients sont tellement submergés par la persistance de leur douleur qu'ils apprécient très difficilement la douleur au moment présent. Ils vivent dans le perpétuel souvenir des crises passées et dans la hantise des crises à venir. Ils sont souvent incapables de tirer profit des périodes d'accalmie. Cette affirmation peut sembler *a priori* surprenante. L'exemple suivant illustrera notre propos. Un jour, un patient est venu donner de ses nouvelles. Bonnes nouvelles : enfin, il n'avait plus mal ! Depuis combien de temps ? demande le médecin. Eh bien, je ne saurais pas vraiment vous dire ! répond le malade. La douleur s'était progressivement estompée sans que le patient puisse réellement déterminer le moment de sa disparition. À quelques semaines près !

Tableau VI

Niveaux d'attention à la douleur

0.	PAS DE DOULEUR.
1.	LA DOULEUR EST PRÉSENTE SI J'Y FAIS ATTENTION. J'ARRIVE À NE PAS Y PENSER.
2.	LA DOULEUR EST PRÉSENTE. J'Y PENSE PEU.
3.	LA DOULEUR ATTIRE MON ATTENTION. J'ARRIVE À L'IGNORER DE TEMPS EN TEMPS.
4.	LA DOULEUR CAPTE TOUTE MON ATTENTION. JE N'ARRIVE PLUS À ME CONCENTRER SUR AUTRE CHOSE.

L'appréciation du niveau d'une douleur n'est pas facile. Nous avons évoqué une notation de 0 à 10. Examinons maintenant une autre échelle basée sur l'attention. Selon le niveau de douleur, l'attention est plus ou moins mobilisée. On peut observer la façon dont l'attention est captée par la douleur et la façon dont elle peut en être détournée.

Cette échelle sera utile pour déterminer la conduite à tenir face à la douleur. À quel moment utiliser une technique de contrôle de la douleur ? À quel moment prendre un antalgique ? (Fig. 8). Les antalgiques sont souvent prescrits « à la demande ». « Prenez-le quand vous en avez besoin ! » commente le médecin. L'expérience montre que les calmants de la douleur sont rarement pris de façon satisfaisante. Ils sont absorbés lorsque la douleur est devenue insupportable. Jusqu'à la dernière minute, le patient se dit : « Ça va passer » ; « Il vaut mieux que j'en prenne le moins possible… »

Attendre le dernier moment est un mauvais réflexe. Le médicament agit d'autant plus difficilement que le niveau de douleur est élevé. Il faut tenir compte non seulement du niveau de douleur, mais également du délai d'action du médicament. Ce délai supplé-

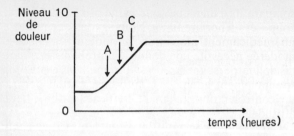

Fig. 8. À quel moment prendre un antalgique ? En A, B ou C ? L'expérience montre que les patients attendent toujours la dernière limite (C) et savent rarement agir préventivement (A).

mentaire prolonge d'autant l'attente dans la douleur. Un antalgique doit être « pris à temps », pour prévenir l'escalade de la douleur. Dans la crise de migraine, il est très important de prendre le traitement symptomatique dès les premiers signes annonciateurs. C'est dans ces conditions que les traitements de la crise migraineuse sont efficaces. Il ne faut pas se faire trop d'illusions sur l'efficacité du même traitement pris trop tard. Trop souvent, un calmant actif paraît inefficace car pris trop tard.

Dans les douleurs rebelles, il devrait être exceptionnel qu'un traitement antalgique soit prescrit « à la demande », « au coup par coup ». Sauf cas particulier, LE TRAITEMENT ANTALGIQUE DOIT ÊTRE PRÉVENTIF, À HORAIRE FIXE ET À INTERVALLE RÉGULIER. Ce mode de prescription permet d'éviter les accès douloureux. Dans ces conditions, lorsqu'on fait le bilan de la quantité de médicaments absorbés, la consommation n'est pas plus importante que lors des prises au « coup par coup ». Elle est même souvent inférieure. L'action préventive de l'antalgique permet d'« aplatir » la courbe de la douleur. La figure 9 illustre les effets comparatifs d'un même antalgique pris « au coup par coup » et « à horaire fixe ». Nous savons que prendre un médicament alors que la douleur est encore modérée nécessite une bonne compréhension et une discipline personnelle. C'est rarement une attitude spontanément adoptée. L'auto-observation permet de contrôler objectivement l'efficacité d'une telle attitude.

Ce principe concerne la prise des médicaments antalgiques mais également les techniques d'auto-contrôle : contre-stimulations, exercices respiratoires, relaxation... Il faut savoir utiliser préventivement ces techniques. Elles sont d'autant plus actives qu'elles sont utilisées précocement, à un moment où la douleur est encore supportable. Il faut donc savoir découper son temps et les utiliser régulièrement, périodiquement. Il faut également savoir identifier et contrôler les effets de situations favorisant l'accentuation de la douleur.

Pour chaque niveau de l'échelle d'attention (Tableau VI), il faut mettre au point sa propre stratégie de contrôle. L'entraînement permettra d'utiliser les techniques de contrôle de façon fractionnée. Par

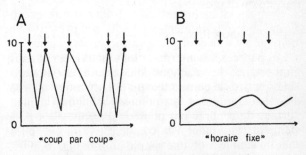

Fig. 9 : Effets comparatifs de la prise d'antalgiques au coup par coup (A) et à horaire fixe (B)

exemple, certains patients apprennent à plonger périodiquement en relaxation profonde. Tout se passe comme s'ils arrivaient à «recharger rapidement leurs batteries» pour pouvoir reprendre l'activité en cours.

B) «E» POUR ÉMOTION

Tout accès douloureux s'accompagne d'une composante émotionnelle : sentiments de tension, de colère, d'anxiété ou de dépression. Il n'est pas toujours facile d'analyser et de décrire cette participation émotionnelle. On peut trouver dans les questionnaires des formulations, des expressions qui aident à exprimer ce qui est éprouvé. La douleur masque souvent, fait écran à ces sentiments associés. Il n'est donc pas toujours facile de les reconnaître.

À d'autres occasions, diverses réactions émotionnelles peuvent survenir sans accompagner la douleur. Leur observation ne doit pas être négligée. Au contraire, chez certains patients, il est plus profitable de mettre de côté l'aspect sensation de la douleur et de faire porter l'auto-observation sur certaines composantes émotionnelles : tension, colère, irritation, anxiété ou dépression.

C) «P» POUR PENSÉES

Les pensées, les interprétations interviennent dans l'importance des réactions douloureuses et émotionnelles et dans le comportement plus ou moins adapté qu'elles déterminent. L'auto-observation quotidienne permet de repérer ces pensées. Parfois, elles parviennent clairement à la conscience. Souvent, elles sont un simple mot, une simple phrase, fugace, difficile à saisir, à la limite de la conscience. Ces pensées concernent tous les domaines du comportement : la

douleur et son vocabulaire, la maladie et ses conséquences, les réactions affectives et émotionnelles,
les interactions avec l'entourage. Ce «dialogue intérieur» («ce que l'on se dit à soi-même») peut
influencer le niveau d'une douleur. Il importe de
savoir apprécier les circonstances où ces pensées
surviennent. Il importe de juger dans quelle mesure
elles sont adaptées. Déterminent-elles une réaction
positive? Il faut savoir observer ces pensées, ces
jugements qui peuvent survenir «avant, pendant et
après» une réaction douloureuse ou émotionnelle.

Un exercice profitable est de noter ces pensées
dans l'autojournal. On examine dans quelle proportion la pensée est vraie dans l'instant (en pourcentage par exemple). En reprenant ensuite ses notes,
on examine à nouveau si la pensée paraît toujours
aussi vraie. Prenons l'exemple de M. G. qui présente
un zona ophtalmique. Une douleur au niveau de
l'œil lui fait craindre que cet organe essentiel soit
gravement atteint. Pourtant les médecins le rassu-
rent régulièrement et lui disent qu'il n'y a pas de lien
entre la douleur persistante et un éventuel problème
oculaire évolutif. Au moment des accès douloureux,
son dialogue intérieur est : «J'ai encore mal. Mon œil
doit être gravement atteint.» Sur le moment, cette
croyance est vraie à 90 %. Plus tard, en reconsidérant
la pensée, elle paraît vraie seulement à 30 %. Les
entretiens avec le médecin permettent de critiquer
le contenu des pensées qui accompagnent certaines
réactions. Il faut s'entraîner à reformuler les pensées
«négatives» qui amplifient le problème. Il faut s'entraîner à les remplacer par des pensées plus adaptées,
plus positives. Par exemple, dans le cas précédent,
on pourrait proposer de reformuler la pensée de la
façon suivante : «Cette douleur est normale pour un
zona. Il s'agit d'une douleur projetée à l'œil. Je sais
très bien que ça ne veut pas dire que l'œil est atteint.

L'examen ophtalmologique a écarté tout signe d'évolution. Il n'y a pas de raison valable pour s'inquiéter encore plus... »

Chaque personnalité a sa façon de raisonner, d'examiner un problème. Les processus de pensées mal adaptées que l'on rencontre le plus fréquemment sont les suivants :

– Envisager toujours le versant négatif des événements alors que des aspects positifs existent.
– Donner des avis sans nuance : c'est tout à fait vrai ou tout à fait faux, alors qu'il faudrait penser en pourcentage et émettre des nuances.
– Généraliser trop rapidement, de façon absolue, alors qu'il faut tenir compte de facteurs particuliers.

D) « I » POUR IMAGES

Le fonctionnement mental normal utilise des représentations imagées. On peut comparer ces images à ce qui se passe dans une rêverie. Il n'y a pas de stimulations réelles, mais on peut se figurer, se représenter en imagination certains événements. Ces représentations imagées ne sont pas seulement visuelles, elles peuvent faire participer d'autres organes sensoriels : l'audition, l'odorat, le goût, le toucher. Nous n'avons pas tous la même capacité à « rêver éveillé ». Si des images surviennent, il faut savoir les reconnaître, ne pas les refuser. Elles sont souvent fugaces. Elles peuvent aider à une meilleure compréhension des problèmes rencontrés. On peut les utiliser comme point de départ d'une technique d'imagerie mentale dirigée. De nombreux patients présentent, de temps à autre, de telles représentations imagées de leur douleur. Certains peuvent en faire le dessin. Par exemple, la douleur évoque à certains : une bête qui mord, une main gantée qui étreint, la vision de soi handicapé, dans un fauteuil roulant...

Une douleur rebelle peut perturber et modifier toutes les sphères d'activité. Elle peut retentir sur les activités physiques, professionnelles, ménagères, familiales, culturelles. Certaines activités disparaissent totalement, d'autres sont seulement réduites. En outre, la douleur engendre des réactions spécifiques observables : parler de sa douleur, masser la zone sensible, se plaindre, faire la grimace, prendre des médicaments, rester allongé, se déplacer avec difficulté... Ces conséquences dans le comportement sont variables selon le type de douleur. Certaines douleurs, plus que d'autres, retentissent sur le comportement.

Au début de la maladie, ces changements apparaissent comme la conséquence de la douleur. Avec le temps, ils peuvent évoluer par eux-mêmes, devenir une source secondaire d'entretien de la douleur. Il faut donc savoir se stimuler pour normaliser ses activités autant que possible. Nous avons pu observer chez certains des améliorations de douleur à plus de 50 %, sans que les activités soient modifiées. Les effets transitoires des traitements dans les douleurs rebelles sont souvent dus à une non-reprise d'activités. Si l'on ne se stimule pas assez pour développer des activités, à plus ou moins long terme on peut prévoir la rechute. Il importe donc d'observer quelles activités sont à développer. Il faut faire la liste de ces modifications.

On reporte dans le journal :
– les activités devenues impossibles ;
– les activités envisageables si la douleur s'atténuait un peu ;
– les activités dont il faut augmenter la tolérance.

Si la douleur diminue de 20 %, de 50 %… quelles activités seraient à nouveau possibles ? On peut ainsi établir un classement des activités à développer.

De même que nous avons établi une échelle pour apprécier les niveaux d'attention et la douleur, il est possible de proposer une échelle pour les activités (Tableau VII).

Tableau VII

Niveaux d'activités et douleur

0   ACTIVITÉ TOUT À FAIT NORMALE. PAS DE DOULEUR.
1. JE FAIS CE QUE J'AI À FAIRE NORMALEMENT. IL Y A UN FOND DE DOULEUR.
2. JE FAIS CE QUE J'AI À FAIRE. LA DOULEUR GÊNE DE TEMPS EN TEMPS MON ACTIVITÉ.
3. JE FAIS CE QUE J'AI À FAIRE. LA DOULEUR M'OBLIGE À RÉAGIR : JE ME PLAINS, JE FAIS UNE GRIMACE, JE PORTE LA MAIN À LA DOULEUR…
4. JE DOIS INTERROMPRE CE QUE J'AI À FAIRE.

Cette échelle aidera à mettre au point les attitudes adaptées vis-à-vis de la douleur et de son retentissement sur les activités. Pour réussir à augmenter les activités sans que la douleur augmente, il faut découper son temps, fractionner ses activités, prévoir des pauses. Il faut savoir de combien de temps on dispose pour effectuer une activité sans risquer d'augmenter la douleur. L'auto-observation peut également révéler que, contrairement à ce que l'on pensait *a priori*, certaines activités sont sans influence sur la douleur. Certains accès de douleur qui survenaient au cours d'une activité donnée ne sont pas nécessairement en rapport. L'auto-observation répétée permet de vérifier l'existence ou l'absence de lien entre une activité donnée, sa durée et l'accentuation de la douleur. Il est essentiel d'étudier les effets de la durée d'une activité sur le niveau de douleur. On note la durée au-dessous de laquelle la douleur n'est pas aggravée, la durée au-delà de laquelle la douleur augmente. Il est rare qu'un patient sache apprécier les effets de la durée d'une activité sur la douleur avant d'avoir pratiqué une auto-observation.

L'expérience montre que, lorsqu'un patient décide de faire quelque chose, il sait rarement se limiter. Il continue jusqu'au moment extrême où «il n'en peut plus», jusqu'à ce que la douleur devienne intolérable. La conséquence d'une telle attitude est une inévitable accentuation, plus ou moins durable, de la douleur. Toute activité devient à nouveau totalement impossible pendant plusieurs heures ou plusieurs jours. La figure 10 illustre cette observation. On peut noter l'irrégularité des performances. Certains jours, des «prouesses» sont effectuées. D'autres jours, plus aucune activité n'est possible. L'auto-observation permet de faire apparaître ces variations dans les performances quotidiennes.

Si une activité est limitée par la douleur, l'attitude adaptée est de découper cette activité en plusieurs phases. Pour cela, il faut connaître la limite de tolérance de l'activité. Il faut savoir pendant combien de temps l'activité peut être menée sans retentir sur le niveau de douleur. La stratégie est de SAVOIR S'AR-RÊTER PRÉVENTIVEMENT, À UN MOMENT OÙ TOUT VA ENCORE BIEN, sans attendre le signal de la douleur. Cette attitude est rarement adoptée spontanément par celui qui souffre. Il faut accepter le principe du découpage des activités. On planifie ses activités, en les répartissant dans le temps, en les diversifiant. On arrive ainsi à MULTIPLIER LES PÉRIODES D'ACTIVITÉ, SUIVIES DE PHASES DE REPOS. Cette stratégie permet d'en faire plus, avec moins de douleur. On met à

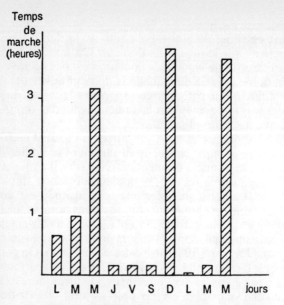

Fig. 10 : Auto-observation quotidienne du temps de marche responsable d'une augmentation du niveau de douleur. Les performances sont menées jusqu'à la limite de fatigabilité ou d'intolérance. Noter l'irrégularité des performances.

profit les temps de repos pour utiliser les techniques de contrôle. L'ÉTAPE SUIVANTE EST D'AUGMENTER PROGRESSIVEMENT LES PERFORMANCES (Fig. 11).

Le principe est de stopper l'activité parce qu'on a atteint la limite fixée à l'avance et non parce que la douleur rend l'activité impossible. En fonction des réussites successives, on prévoit d'augmenter progressivement la durée de l'activité. Cette règle est essentielle, elle peut être appliquée à toutes formes d'activités. Les exercices de rééducation se prêtent

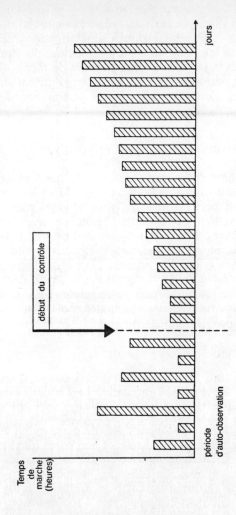

Fig. 11 : Courbe montrant les performances menées jusqu'à la limite insupportable pendant la période d'auto-observation. Noter les effets de la reprise progressive, préventive.

tout à fait à cette approche. On contrôle le temps de marche, la durée de certains exercices de mobilisation... Ces activités physiques sont effectuées en fonction de leur durée et non en fonction de leur tolérance. On fait alterner les périodes de rééducation et des périodes de repos permettant l'utilisation d'exercices de relaxation ou de techniques de contre-stimulation.

3) *L'observation « avant-pendant-après »*

Cette étape de l'observation va chercher à relier les différentes facettes de la réaction SEPIA avec des circonstances favorisantes (AVANT) et ses conséquences (APRÈS). Ces facteurs d'influence AVANT et APRÈS peuvent être d'ordre personnel ou interpersonnel. Par interpersonnel, nous désignons les situations où intervient l'entourage. Dans la pratique, il est souvent utile de se focaliser sur un ou deux exemples de réaction « cible ». L'analyse et les stratégies de contrôle servent de modèle pour d'autres situations problématiques.

A) LES CIRCONSTANCES « AVANT »

Quelles sont les situations, les circonstances, les événements qui peuvent accentuer la douleur ? Les causes fréquentes sont les activités physiques et les facteurs de stress. Outre l'aspect physique d'une activité, l'observation doit prendre en compte son caractère plus ou moins plaisant, plus ou moins motivant. Les facteurs de stress déterminent pour une part importante les accès de douleur ou de tension émotionnelle. Leur repérage n'est pas toujours facile. Souvent, il est préférable de ne pas chercher à interpréter les événements. On examine simplement les faits. On note la situation, les événements qui ont précédé la réaction. En reprenant le journal, on peut alors repérer des concordances avec tel ou tel facteurs.

Une erreur fréquente est de supposer que seuls des problèmes importants sont des facteurs de stress. Une violente migraine peut être précipitée par des circonstances mineures, tout à fait banales. Les situations favorisantes sont souvent des petits problèmes, des tracasseries de la vie courante qui sans la douleur ne poseraient aucune difficulté particulière. On recherche donc comment on s'adapte au manque de temps, aux attentes inutiles, aux conflits, aux contrariétés, aux frustrations diverses, aux difficultés de communication avec les autres… *A priori*, toute douleur rebelle rend plus sensible aux facteurs de stress. Même lorsque la douleur paraît dépourvue de lien avec les facteurs de stress, il est extrêmement profitable d'examiner comment la personne réagit aux situations stressantes, comment elle interagit avec les autres. Son mode de communication est-il passif, agressif ou affirmé (1)? Quelles sont les situations qu'elle cherche à éviter?

Si l'on cherche à identifier les facteurs de stress, ce n'est pas pour continuer à les éviter. Il serait d'ailleurs illusoire de penser pouvoir éviter toute situation stressante. Au contraire, l'observation peut conduire à reformuler les objectifs du traitement : apprendre à faire face aux facteurs de stress, c'est-à-dire apprendre les comportements physiologiques et psychologiques adaptés pour surmonter les situations stressantes. Savoir réagir au stress, sans détresse.

Il est tout aussi important d'observer les situations et les circonstances où la douleur et la tension émotionnelle diminuent. Signalons à nouveau que l'observation des circonstances favorisantes ne doit pas partir du principe que les relations sont obligatoires, systématiques, constantes. Que l'influence soit positive ou négative, il s'agit de rechercher une tendance, une plus grande probabilité, un déplacement du seuil de la douleur. Rechercher des effets à « 100 % » masque le possible repérage de relations plus nuancées. L'entourage peut aider à repérer les facteurs d'influence d'une douleur. Sa collaboration peut être profitable si elle se fait dans une atmosphère de réelle compréhension et non de conflits ou de désaccords. Bien comprise, cette aide est précieuse.

B) LES CONSÉQUENCES « APRÈS »

Toute réaction donnée (douleur, émotion, comportement...) va évoluer dans le temps. Elle sera suivie de conséquences aux niveaux personnel et interpersonnel. Il importe d'observer comment on réagit soi-même à sa propre réaction et comment les autres réagissent. Que faites-vous ? Que pensez-vous ? Que font les autres ? Que pensent-ils ? Ces conséquences auront une influence en retour. Sont-elles positives ou négatives ? Encouragent-elles, ou non, à s'engager dans un comportement incompatible avec la douleur ?

Certaines pensées, images ou tensions, ne font qu'accentuer la réaction qui continue à s'amplifier. Les techniques d'autocontrôle visent à interrompre au plus tôt l'enchaînement d'une telle réaction mal adaptée.

Les réactions de l'entourage doivent être observées. Elles peuvent dissuader celui qui souffre de s'engager dans un comportement adapté. Certaines conséquences trop favorables, qui induisent un trop grand confort ou une trop grande attention, peuvent être un facteur d'entretien. Par exemple, tout le monde sait qu'un enfant malade, trop choyé, pourra avoir tendance à s'installer dans la maladie. Tout se passe comme si un peu de stress paraissait utile pour mettre en jeu les systèmes de contrôle de la douleur. On doit donc s'interroger sur le rôle de l'entourage. Est-il positif ou négatif? Que fait l'entourage lorsqu'il observe ou entend des signes de douleur? Réagit-il comme on le souhaite? L'entourage a une influence positive s'il encourage celui qui souffre à se comporter normalement, à bien contrôler sa douleur, à développer ses activités. Nous avons déjà signalé que souvent ces interactions sont perturbées par la croyance erronée qu'il existe des douleurs réelles et imaginaires. La communication avec l'entourage est un problème difficile pour celui qui souffre de douleur rebelle. Il est nécessaire que les observations soient commentées lors des consultations. Une fois le caractère positif ou négatif des interactions reconnu, il faut envisager des stratégies de changement. Cette communication utilise tout ce que les autres peuvent voir et entendre de la douleur. Il faut donc se souvenir qu'il existe des communications verbales (audibles) et non verbales (visibles).

Pour analyser une douleur persistante, il faut évaluer non seulement les conséquences immédiates de chaque comportement, mais aussi l'ensemble des conséquences survenues depuis le début de la maladie. Ici encore, certaines modifications trop favorables peuvent faire obstacle aux réactions de défense. Les conséquences sociales de la maladie sont extrêmement importantes à considérer. On sait par exemple que l'absence de couverture sociale a tendance à diminuer la durée d'évolution des maladies. Au contraire, les compensations financières, l'attente d'une réévaluation d'indemnités, d'une pension, paraissent maintenir un équilibre entre la maladie et ses avantages. Tout changement doit être analysé en établissant la balance des avantages et inconvénients de la situation. Quels sont les avantages et les inconvénients de la situation présente ? Quels seraient les gains et les pertes après changement ? Nous savons que celui qui souffre accepte très difficilement que son problème de douleur soit abordé sous l'angle des avantages et inconvénients qui en résultent. Toutefois, ce sont souvent les « autres » qui se posent de telles questions… Le problème transparaît dans les échanges avec les autres. Il est donc extrêmement important d'aborder ces sujets avec l'équipe soignante.

TROISIÈME PARTIE

Contrôler

L'organisme n'est pas sans ressources face à la douleur. Des mécanismes de défense, physiologiques et psychologiques, peuvent être mobilisés de façon intentionnelle pour mieux faire face. Contrôler une douleur ne relève pas de « l'imagination », c'est parvenir à mettre en jeu des systèmes neurobiologiques, freinateurs de la douleur. Parvenir à contrôler une douleur ne va pas de soi. Il serait naïf et beaucoup trop simple de penser qu'il suffit seulement d'un peu de volonté. L'exemple des patients qui réussissent les adaptations les plus satisfaisantes permet de comprendre comment ils procèdent. Contrôler ses réactions, choisir les attitudes adaptées, réclame un entraînement. C'est un apprentissage, comme la pratique d'un sport ou d'un instrument de musique. Les résultats ne sont donc pas immédiats. Pour rester motivé, il faut se fixer des buts réalistes, les atteindre et être attentif aux progrès accomplis.

La personne qui souffre d'une douleur rebelle et persistante peut beaucoup pour elle-même. Souvent plus que les nombreux traitements qui lui sont proposés. Elle sous-estime sa capacité à changer, à s'aider. Même lorsqu'elle accepte l'idée d'un possible contrôle de la douleur, elle doute d'être capable d'y arriver. L'entourage doit supporter pleinement ses efforts, la stimuler dans cette démarche, l'encourager à relever ce défi, à remporter cette victoire. Ce n'est pas pour autant que le succès est garanti. Il lui faut se rappeler que de nombreuses difficultés apparentes peuvent être résolues lorsque le problème est soumis à un spécialiste.

I

Les stratégies de contrôle de la douleur

Bien que cet ouvrage s'adresse directement au patient et cherche à l'informer sur certains aspects de la douleur rebelle, nous lui déconseillons fermement de s'engager seul dans la démarche que nous décrivons. Les avis, la supervision par un médecin, spécialiste ou non des problèmes de la douleur, permettront d'éviter de nombreuses erreurs. Nous l'avons déjà dit : cet ouvrage se veut un aide-mémoire explicatif et non pas un manuel du type «Faites-le vous-même».

Tout en menant l'analyse minutieuse des cercles vicieux d'une douleur, on s'interroge sur les comportements incompatibles avec celle-ci à développer. Mettre au point des stratégies «pour faire face» réclame des conditions favorables. On pratique des «tests» lorsque la douleur est à faible niveau. Dans ces conditions, il sera plus aisé de déterminer les effets des techniques de contre-stimulation ou de relaxation et d'envisager les activités qu'elles permettent de développer ou de reprendre.

1) *Les contre-stimulations*

La théorie de la porte de Melzack et Wall (49, 50) a conduit au développement de techniques nouvelles comme la neurostimulation transcutanée. Elle a également apporté une compréhension plus scientifique à de nombreux procédés antalgiques empiriques regroupés sous l'appellation de «contre-stimulations» (31). Ces techniques ont en commun de soulager la douleur en la «contrebalançant» par les sensations qu'elles provoquent. Dans toutes les civilisations, à toutes les époques, on peut relever des procédés basés sur le massage, les applications de chaleur ou de froid, ou sur la stimulation électrique. L'acupuncture chinoise peut également être considérée comme une forme de contre-stimulation (13, 47).

A) LES MODALITÉS TECHNIQUES

Toute douleur, superficielle ou profonde, peut être atténuée par la sensation cutanée produite par une technique de stimulation. Pour déterminer la modalité profitable à une personne donnée, on ne peut se dispenser de tests. De nombreuses personnes utilisent d'elles-mêmes ces «petits moyens». Elles ont observé que leur douleur est atténuée par tel ou tel procédé. D'autres n'ont jamais rien tenté, souvent uniquement parce que, *a priori*, elles ne croient pas «efficaces» ces moyens trop simples.

L'effet des techniques de contre-stimulation est pratiquement immédiat. La perception de la sensation «contraire» entre en compétition avec celle de la douleur. Cet effet peut persister après l'arrêt de la contre-stimulation. Même si l'effet est de courte durée, nous examinerons comment l'utiliser au mieux. Dans une large majorité de cas, les contre-stimulations actives sont d'intensité modérée. Elles provoquent une sensation bien perçue, bien présente, mais non désagréable. Certains patients préfèrent des stimulations de plus fort niveau, parfois nettement désagréables. L'effet peut alors être retardé. Il faut savoir tester les différentes formes de contre-stimulation en faisant varier les niveaux d'intensité. Dans la pratique, on teste en premier les stimulations d'intensité modérée. À plus fort niveau, les contre-stimulations peuvent accentuer la douleur.

La neurostimulation transcutanée

Les stimulations électriques possèdent des propriétés antalgiques connues de longue date. Pour l'anecdote, signalons que dans la Grèce antique on utilisait la décharge des poissons électriques pour calmer la douleur d'une crise de goutte ou d'un mal de tête. Aujourd'hui, les progrès ont conduit à la neurostimulation transcutanée. Précisons que cette technique réclame une prescription et une surveillance médicales. Les générateurs électriques sont à peine plus volumineux qu'un paquet de cigarettes. Ce faible encombrement est un atout majeur. Le patient peut conserver sur lui ce stimulateur «portable», tout en poursuivant ses activités. La stimulation électrique est délivrée par des électrodes, fixées au niveau de la zone douloureuse. Le courant est réglé de façon à produire une sensation confortable, non désagréable, bien perçue, à type de fourmillements ou de battements. La stimulation électrique «fait écran», «masque la douleur». Le type de courant est parfaitement toléré. Certaines personnes font une utilisation permanente, quotidienne, de la méthode. Le principal avantage de la neurostimulation transcutanée est de permettre des applications prolongées. Technique nouvelle, les coûts de location ou d'achat sont parfois remboursés par certaines mutuelles, mais, sauf exception, ne le sont pas encore par la Sécurité sociale.

Le massage

Porter la main à la région douloureuse est un geste instinctif, automatique, de celui qui souffre. Il appuie, il masse, il pince la zone cutanée douloureuse. Ces gestes peuvent devenir rapidement une habitude. Quelle attitude adopter vis-à-vis de ce comportement ? On peut chercher à le supprimer s'il est inutile. On peut tenter de le remplacer par des manœuvres de contre-stimulation réellement efficaces.

En général, massage signifie « se faire masser ». L'obligation de réclamer l'aide d'un autre nous paraît aller à l'encontre de l'autonomie que doit reconquérir celui qui souffre de douleur persistante. Nous conseillons donc d'explorer au maximum les ressources des « automassages ». Le massage doit donner une sensation suffisamment confortable pour détourner l'attention et contrebalancer la douleur. Il faut se laisser guider par le confort des sensations produites. Les manœuvres habituelles sont la pression, l'effleurage, le pétrissage, la percussion. Pour pratiquer une pression, la main est posée à plat sur la zone douloureuse. Elle exerce tranquillement des pressions de force croissante, variable. Dans l'effleurage, la main est posée à plat. Elle épouse bien les reliefs. On frotte la peau doucement, avec une pression modérée que l'on fait varier. Dans le pétrissage, on prend les tissus dans une pince large formée par toute la surface du pouce et les autres doigts et on pétrit les tissus musculaires. Dans la percussion, on frappe la zone sensible avec le poing fermé ou le bord de la main. Les massages ponctuels permettent de stimuler des « points douloureux ». On exerce une pression avec la pulpe du pouce ou de l'index, tout en accomplissant des mouvements de rotation. Signalons l'existence d'appareils électriques délivrant des stimulations mécaniques vibratoires.

Les applications de chaleur

Les applications de chaleur peuvent calmer de nombreuses douleurs, et plus particulièrement celles liées à une contraction musculaire. La chaleur favorise la détente du muscle et provoque la dilatation des vaisseaux. On peut utiliser une compresse ou une serviette chaude, une bouillotte, un cataplasme... Les bains chauds sont particulièrement efficaces. Ils induisent un état de relaxation associant une détente musculaire générale et un état de bien-être. Une douche chaude, l'air chaud soufflé par un séchoir à cheveux sont également utiles. Enfin, il existe dans le commerce des coussins chauffants.

Les applications de froid

Le froid, en application locale, provoque une sensation d'engourdissement et d'anesthésie. On peut utiliser une serviette froide, une vessie remplie de glace pilée, des douches froides ou simplement des brumisations d'eau fraîche. Une technique très efficace est le « massage à la glace » qui consiste à masser la peau avec un cube de glace. Cette manœuvre provoque des sensations de froid, d'engourdissement et des picotements qui insensibilisent. On interrompt le massage lorsque la sensation produite devient trop intense. On répète le massage de façon intermittente (51). En pharmacie, il existe des bombes et des compresses chimiques pour donner du froid.

La personne qui souffre fait rarement spontanément une utilisation rationnelle des manœuvres de contre-stimulation. Elle les utilise de façon instinctive, souvent en dernier recours, lors d'un violent accès de douleur.

La première étape est de déterminer la sensation élémentaire efficace : électrique, massage, chaleur, froid ? Il faut pratiquer des tests sur la douleur à son niveau moyen. Dans la pratique, on cherche à évoquer une sensation apaisante au niveau du siège de la douleur. Cette sensation « fait écran », « masque » la perception de douleur. Dans d'autres cas, moins fréquents, les stimulations sont appliquées « à distance ». L'attention est détournée de la douleur.

Les effets des contre-stimulations sont souvent commentés de la façon suivante : « Oui, ça fait de l'effet dans l'instant, mais ça ne dure pas ! » Il serait idéal en effet de pouvoir bénéficier en permanence des effets produits. L'avantage de la neurostimulation est de permettre des applications permanentes, prolongées. À long terme, l'utilisation la plus efficace des procédés de contre-stimulation est souvent périodique (trois fois par jour par exemple) et préventive (sans attendre le maximum de douleur). On l'utilise avant et/ou après une période d'activité. Nous reviendrons plus loin sur ces aspects pratiques essentiels.

Les techniques de contre-stimulation peuvent être également utiles pour bloquer la progression d'un accès de douleur. L'application ne doit pas être machinale, passive. On s'exerce à focaliser son attention sur la sensation « contraire ». On en détaille ses caractères. On cherche à les mettre en mémoire, comme pour les prolonger dans le temps. Comme pour les autres techniques de contrôle que nous décrirons plus loin, il importe de savoir diriger et focaliser son attention. Très rapidement, certaines personnes apprennent à combiner diverses stratégies de contrôle. Elles prennent comme point de départ la sensation élémentaire d'une technique de contre-stimulation pour l'associer à des exercices de relaxation ou d'imagerie mentale dirigée.

2) *La relaxation*

Le langage courant utilise les termes «se relaxer», «se détendre», dans un sens qui tend à donner une idée inexacte de la relaxation «médicale». Se relaxer n'est pas simplement se reposer en regardant la télévision ou en discutant tranquillement avec des amis pendant un week-end. Ce qui caractérise la relaxation, c'est un état physiologique et psychologique, décrit sous le nom de RÉPONSE DE RELAXATION (10).

A) LA RÉPONSE DE RELAXATION

La réponse de relaxation associe un certain nombre de manifestations physiologiques et psychologiques qui s'opposent à la réaction d'alerte (voir p. 62) : relâchement musculaire, ralentissement des rythmes respiratoire et cardiaque, dilatation des vaisseaux, augmentation de la chaleur cutanée, diminution de la pression artérielle et enfin état psychologique de calme, de bien-être et de tranquillité.

Cet état physiologique peut être objectivé au moyen d'appareils enregistrant respectivement l'activité musculaire, les fréquences cardiaques et respiratoires, la température cutanée et la tension artérielle... Plus simplement, on peut apprécier les effets de la relaxation en notant avant, pendant et après le nombre de mouvements respiratoires par minute (fréquence respiratoire), le nombre de battements cardiaques par minute (fréquence cardiaque), les chiffres de pression artérielle. Ces modifications physiologiques, qui témoignent de l'état de relaxation, sont perceptibles et analysables par introspection. La détente musculaire se traduit par des sensations de lourdeur, de pesanteur. La dilatation des vaisseaux se traduit par une sensation de chaleur... La réponse de relaxation s'apprend et se perfectionne. Opposé à la réaction d'alerte, cet état est incompatible avec la douleur, le stress ou toute autre émotion négative. C'est un moyen de lutte, avant, pendant et après toute expérience agressive. Au moment d'un accès de douleur, elle permet de réduire la tension musculaire et émotionnelle, associée à la douleur. Elle aide à focaliser l'attention sur des événements incompatibles avec la douleur. D'une façon générale, on admet également que la relaxation permet de mieux lutter contre l'anxiété, la fatigue et l'insomnie.

Savoir se relaxer dans des conditions favorables (position allongée, ambiance calme par exemple) est rarement suffisant. Le résultat thérapeutique dépend avant tout de la façon dont la réponse de relaxation est utilisée dans la vie courante. Au début de l'apprentissage, chaque exercice doit être détaillé, contrôlé intentionnellement. Avec de l'entraînement, l'état de relaxation s'obtient plus facilement, automatiquement. On s'exerce en augmentant progressivement la difficulté : position allongée puis assise, debout, lors de mouvements. Apprise « par cœur », la relaxation devient alors un moyen efficace pour affronter, neutraliser la douleur ou toute autre expérience agressive. Elle permet de réduire les tensions musculaires et psychologiques au niveau nécessaire adapté à la situation donnée. L'utilisation « préventive » de la réponse de relaxation nécessite qu'on ait appris à identifier les circonstances d'apparition de la tension et/ou de la douleur (situations menaçantes, pénibles, désagréables…). L'apparition d'une tension musculaire ou émotionnelle devient le signal pour réagir par une détente.

B) LES TECHNIQUES

Lire les consignes d'un exercice de relaxation peut laisser croire à une grande banalité. On ne peut *a priori* se représenter valablement la relaxation sans en faire personnellement l'expérience. Dans les premières semaines, on s'entraîne dans une pièce agréable, calme, sans bruit, en demi-obscurité, habillé de vêtements confortables, lâches. On laisse les yeux fermés, pour mieux fixer son attention sur les exercices et pour supprimer les sources de distraction visuelle. L'attitude générale est de «ne pas forcer», de «laisser faire», de «garder une attitude passive». En position allongée, la tête est confortablement installée sur un oreiller, les bras le long du corps, les paumes des mains à plat sur le lit, les membres inférieurs légèrement écartés, les pieds tournés en dehors. En position assise, les jambes sont écartées, bien perpendiculaires au sol. Les bras à demi fléchis reposent sur les cuisses. Le dos est appuyé contre le dossier du fauteuil, mais pas obligatoirement. On choisit une position confortable pour la tête et le cou : verticale ou fléchie en avant.

Nous allons décrire brièvement quelques techniques qui servent de base à l'apprentissage de la réponse de relaxation.

A) La «RELAXATION PROGRESSIVE» de Jacobson (35) utilise le contraste entre la contraction d'un muscle et sa décontraction. Pour chaque groupe musculaire, on pratique les phases suivantes :

- Apprécier le niveau initial de tension musculaire.
- Faire une contraction (lors d'une inspiration), la maintenir pendant cinq à dix secondes.
- Apprécier les sensations qui accompagnent la contraction.
- Détendre calmement (au mieux lors d'une expiration).
- Apprécier les modifications de sensations qui accompagnent et suivent la détente (lourdeur, pesanteur ou chaleur).
- Détendre encore plus, en allant encore plus loin dans la détente.

Chaque région est successivement contractée et décontractée sur le même principe.

Mains : On écarte bien tous les doigts. On relève la main à angle droit sur le poignet. Puis on relâche, en laissant reposer la main bien à plat.

Visage : On ferme fortement les yeux. On serre les mâchoires. On fronce le front. Puis on relâche. Les yeux demeurent fermés. La bouche peut s'entrouvrir.

Nuque : On enfonce la tête dans le lit. Puis on relâche. Au repos, la tête est confortablement installée sur le lit.

Épaule : On soulève et on rapproche les épaules. On rentre la tête dans les épaules. On relâche en laissant tomber les épaules.

Pendant chaque exercice, on note les sensations qui accompagnent la tension et la décontraction musculaire. On répète ces exercices pour chaque groupe musculaire.

Avec de l'entraînement, il devient possible d'obtenir une décontraction sans que la contraction préalable soit nécessaire. En devenant générale, globale, la relaxation s'accompagne d'un état psychologique de calme, de confort.

B) Le «TRAINING AUTOGÈNE» de Schultz (59) repose sur un autre principe. Pour obtenir la réponse de relaxation, le sujet se pénètre mentalement d'une formule fixant le but à atteindre. Par exemple, pour induire le calme, on se répète intérieurement la formule : «Je suis tout à fait calme, de plus en plus calme.» Cette technique comporte six exercices de base. L'attention est portée sur la région du corps que l'on souhaite relaxer, en se pénétrant bien de la formule correspondante.

– *Contrôle musculaire :* Pour obtenir la détente musculaire au niveau des membres et du corps, on répète intérieurement la formule : «Mon bras droit est tout à fait lourd, de plus en plus lourd.» Une fois cette sensation obtenue, on passe à l'autre bras : «Mon bras gauche est tout à fait lourd.» Puis : «Mes deux bras sont tout à fait lourds.» On continue ainsi de suite jusqu'à la formule : «Mon corps est tout à fait lourd.»

– *Contrôle vasculaire :* Pour obtenir la chaleur, on utilise des formules comme : «Mon bras droit est tout à fait chaud»; «Mon corps est tout à fait chaud.»

– *Contrôle cardiaque :* «Mon cœur bat calme et fort.»

– *Contrôle respiratoire :* «Je sens l'air respirer en moi»; «Ma respiration est profonde, tout à fait calme, régulière.»

– *Contrôle vasculaire abdominal :* Pour obtenir une chaleur abdominale : «Mon plexus solaire est tout à fait chaud.»

– *Contrôle vasculaire encéphalique :* Pour obtenir la fraîcheur du front : «Mon front est agréablement frais. » Ce dernier exercice peut être facultatif. Son intérêt varie selon les cas. Il est tout à fait indiqué dans les migraines ou autres céphalées calmées par une application de frais ou de froid.

En s'imprégnant de chaque formule, on favorise la variation physiologique dans le sens recherché. La pensée stimule la variation physiologique. On peut s'aider d'une image plus ou moins personnelle qui évoque bien le but recherché, par exemple : « Mon bras est lourd comme du plomb, chaud comme au soleil… » Les sensations perçues ne sont pas « imaginaires ». Les enregistrements montrent une concordance entre l'apparition des sensations subjectives de lourdeur ou de chaleur et les variations physiologiques.

C) Benson (10) a décrit une technique simplifiée de relaxation méditative qui insiste sur les conditions suivantes.

– Trouver une position confortable. Fermer les yeux pour supprimer les causes de distraction visuelle. Chercher un environnement tranquille.

– Décontracter profondément chaque muscle en commençant par les pieds et en remontant progressivement jusqu'au visage. Garder les muscles bien détendus.

– Concentrer son attention sur quelque chose : un mot, un son, une phrase… Par exemple, se concentrer sur le mouvement respiratoire et, à chaque expiration, prononcer mentalement le chiffre « un ». On peut également prononcer « un » à l'inspiration, « deux » à l'expiration. On se concentre ainsi pendant vingt minutes.

– Conserver une attitude passive. Ne pas s'inquiéter de savoir si on réussit à atteindre un niveau de relaxation profonde. Laisser la relaxation se produire à son propre rythme. S'attendre à voir surgir des pensées. Quand elles surviennent, les ignorer, penser simplement : « Ah bon. »

c) L'ENTRAÎNEMENT

Les méthodes de relaxation sont toutes plus ou moins dérivées de celles décrites plus haut. Nous donnons en annexe un exemple de consignes standardisées. L'entraînement peut être facilité par l'utilisation d'une cassette enregistrée avec une voix monotone, calme et régulière, guidant les exercices. L'aptitude à se relaxer est variable selon chacun. Certaines difficultés peuvent réclamer un ajustement individuel des techniques. La supervision par un spécialiste de la relaxation est nécessaire. Un entraînement habituel consiste en séances quotidiennes, de dix à vingt minutes. La réponse de relaxation doit être apprise « par cœur » de façon à ce qu'elle devienne automatique.

Nous avons signalé que les variations physiologiques de la réponse de relaxation pouvaient être enregistrées au moyen d'appareils appropriés. Ces appareils peuvent aider l'apprentissage. Les techniques de « biofeedback » ou « rétroaction biologique » reposent sur ce principe (36, 72). L'activité électrique d'un muscle du front par exemple peut être enregistrée grâce à un appareil d'électromyographie (EMG). Le niveau de tension musculaire est transformé en un signal visuel ou sonore. Plus le niveau de tension musculaire diminue, plus l'aiguille du cadran montre le zéro et plus le son devient faible. Le sujet est donc informé, en permanence, des variations de tension musculaire. Cette information en retour peut être utilisée pour faciliter l'apprentissage. On utilise principalement les enregistrements musculaires pour les douleurs avec contraction musculaire et thermique pour les migraines.

Celui qui souffre de douleur rebelle a nécessairement des difficultés à apprendre à se relaxer. Il doit débuter l'entraînement dans les conditions les plus favorables : position allongée et en dehors des accès douloureux lorsque c'est possible. Avec de l'entraînement, la relaxation deviendra de plus en plus facile à obtenir, de plus en plus profonde, de plus en plus automatique. On augmentera la difficulté en s'exerçant successivement en position allongée, assise, debout, lors de mouvements, et enfin face aux situations stressantes. Il est certain que face à une situation de stress ou une douleur, il ne faut pas espérer atteindre un état de relaxation aussi profond qu'en position allongée. Dans ces situations, l'objectif est d'apprendre à réduire l'état de tension et à l'ajuster au niveau souhaité. La station debout par exemple réclame un certain niveau de tension musculaire, indispensable à la posture. On ne peut espérer un relâchement aussi profond que dans la position allongée. L'important est d'apprendre à réduire la tension au minimum nécessaire pour la posture. L'objectif est donc d'acquérir un contrôle « différentiel » du niveau de tension musculaire. On s'entraîne à détendre profondément une région du corps, tout en conservant un niveau de tension dans une autre région. Certains exercices consistent à effectuer des mouvements tout en conservant une relaxation. Par exemple, tourner la tête alternativement à droite puis à gauche sous relaxation. Dans ces cas, il est utile de rythmer la contraction sur l'inspiration et la décontraction sur l'expiration.

La relaxation peut s'apprendre en séance individuelle ou en groupe. Des enregistrements sur cassettes nous paraissent utiles pour accélérer l'apprentissage. Quelle que soit la méthode, il importe que le sujet devienne autonome. Dès que possible, il doit apprendre à se relaxer seul, sans aide extérieure. Il saura ensuite utiliser cette nouvelle capacité dans la vie quotidienne. L'étape suivante consiste en l'utilisation de la relaxation pour affronter les situations de stress et la douleur. Nous reviendrons plus loin sur ces aspects à propos des techniques de «désensibilisation» (75) et d'«inoculation du stress» (45, 70). L'objectif est d'aboutir à un nouvel automatisme. L'apparition de tensions, musculaires ou psychologiques, devient un signal pour débuter la détente. Au début, cette réaction est nécessairement intentionnelle. Avec de l'entraînement, l'enchaînement devient automatique. Toutes les situations désagréables (émotions négatives, stress, accès de douleur) deviennent le signal pour réagir par une relaxation.

ANNEXE

TEXTE D'UNE SÉANCE D'ENTRAÎNEMENT À LA RELAXATION

Conditions de l'entraînement

Nous allons débuter l'entraînement à la relaxation... On s'isole dans une pièce calme... à l'abri des bruits... où rien ne viendra nous déranger pendant vingt à trente minutes... On s'installe confortablement sur un lit... allongé sur le dos... Les bras s'étendent de chaque côté du corps... la paume des mains reposant à plat sur le lit... Les pieds légèrement écartés l'un de l'autre... tournés en dehors... On ferme doucement les yeux... de façon à se concentrer sur les exercices... On va entrer en nous-même... oublier tout ce qui nous entoure... Si des pensées... des images viennent nous distraire... il ne faut pas s'en inquiéter... on continue tranquillement la relaxation... Tous les exercices doivent être faits calmement...

sans vouloir trop bien faire... On laisse faire... On ne doit pas s'inquiéter de savoir si on réussit parfaitement... On conserve une attitude passive... On laisse la relaxation se dérouler à son propre rythme... Avec de l'entraînement, la détente s'obtiendra de plus en plus facilement... automatiquement... comme une nouvelle habitude...

Contrôle respiratoire

On commence par porter toute son attention sur le mouvement de la respiration... On examine calmement ce mouvement de va-et-vient... On prend bien conscience de l'inspiration... le thorax et l'abdomen se gonflent, se soulèvent à l'inspiration... On prend bien conscience de l'expiration... le thorax et l'abdomen s'abaissent, se relâchent à l'expiration... On conserve une attitude passive... On laisse l'air gonfler le thorax et l'abdomen... On laisse l'air s'échapper... tranquillement... «comme un ballon qui se dégonfle»... On examine calmement le mouvement de la respiration... mouvement de flux et de reflux... mouvement de va-et-vient... On apprécie bien la détente lors de l'expiration... La respiration se fait calmement... librement... sans effort... On sent l'air respirer en soi... On prend une profonde inspiration... tranquillement... Et on bloque la respiration pendant un moment... On examine calmement cette sensation de plénitude... de tension... au niveau de la cage thoracique... Quand le besoin s'en fait sentir... on laisse l'air s'échapper... librement... passivement... tranquillement... sans forcer... On apprécie bien la sensation de détente qui accompagne l'expiration... Cette profonde expiration sera le signal pour débuter la relaxation profonde... pour aider à approfondir la relaxation... La respiration redevient calme... régulière... On prend bien conscience de la différence entre inspiration... et expiration... On apprécie bien la sensation de relâchement qui accompagne l'expiration... «comme si la tension s'évacuait avec l'air expiré»... Insensiblement, chaque expiration approfondit la détente... Chaque expiration élimine un peu plus de tension... On se laisse aller dans une agréable détente... Le mouvement de la respiration se fait de plus en plus régulier... de plus en plus calme... de plus en plus profond... On se répète intérieurement... je respire calmement... régulièrement... de plus en plus calmement... de plus en plus régulièrement... On favorise la respiration abdominale... On note bien le mouvement de l'abdomen... L'abdomen se gonfle à l'inspiration... se dégonfle à l'expiration... On remarque la courte pause qui sépare l'inspiration... de l'expiration... On remarque la courte pause qui sépare l'expiration... de l'inspiration... On laisse le mouvement respiratoire se faire librement... automatiquement... On examine bien toutes les sensations qui accompagnent la respiration... On suit le trajet de l'air inspiré... au niveau du nez... dans l'arrière-gorge... On imagine le trajet de l'air dans le thorax... On remarque la température de l'air... On note une discrète différence de température... L'air expiré est discrètement plus chaud... L'air inspiré discrètement plus frais... On prend une profonde inspiration... comme un profond soupir... On bloque l'air quelques instants... Et on laisse l'air s'échapper... passivement... librement... La sensation de détente apparaît plus présente en fin d'expiration... Cette profonde expiration aide à approfondir la détente... Chaque fois que l'on souhaite approfondir le niveau de détente... on laissera venir un profond soupir... qui approfondira la détente... On se répète intérieurement... «Je respire calmement»... «régulièrement»... «profondément»... «de plus en plus calmement»... «de plus en plus régulièrement»... «de plus en plus profondément»... On laisse le mouvement respiratoire continuer librement... automatiquement... pendant toute la durée de la relaxation...

Contrôle musculaire

On va relâcher chaque région du corps... l'une après l'autre... On va éliminer toute tension musculaire... On prend bien conscience du niveau de tension... et on relâche... On relâche encore plus... On élimine toute tension, aussi minime soit-elle... On relâche tranquillement... Si on le souhaite, on peut commencer par une contraction que l'on fera suivre d'une détente... On commence par les pieds... On examine la tension... Et on décontracte... On détend encore plus... On examine la tension au niveau des jambes... Et on relâche... On relâche les cuisses... On détend la région des hanches... le bassin... les fesses... On relâche tous les muscles du dos... de part et d'autre de la colonne vertébrale... On examine la tension au niveau des épaules... Et on relâche... On laisse tomber les épaules... naturellement. On les laisse confortablement appuyées sur le lit... On examine la tension au niveau des bras... Et on élimine toute tension musculaire... On relâche les coudes... les avant-bras... On laisse les mains se détendre... comme si on lâchait un objet imaginaire... On relâche les muscles du cou... On laisse la tête reposer sur le lit... s'enfoncer confortablement dans l'oreiller... On examine l'état de tension des muscles du front... Et on relâche... comme pour effacer toutes les rides du front... On examine calmement la tension des muscles autour des yeux... Et on relâche... sans effort... On cherche une position confortable pour les yeux... position sans tension... On détend les muscles... autour de la bouche... On examine la tension des muscles de la mâchoire... Et on relâche... On laisse tomber la mâchoire... La bouche peut s'entrouvrir... On peut parfois éprouver le besoin d'avaler sa salive... Toute contraction inutile est éliminée... On se laisse aller encore plus dans la décontraction... On examine à nouveau... région par région... Toute tension... aussi minime soit-elle... Et on décontracte... On relâche encore plus... On détend les pieds... les jambes... les cuisses... le bassin... On détend les épaules... les bras... On détend les mains... On relâche le front... les yeux... la bouche... la mâchoire... Insensiblement, l'organisme progresse dans la détente... La respiration continue à se faire régulièrement... automatiquement... sans effort... avec un mouvement de balancement... calme... régulier. Si l'on souhaite à nouveau approfondir le niveau de détente... On laisse venir une profonde inspiration... comme un profond soupir... On marque un temps de repos... une courte pause... Et on relâche... calmement... Toutes les tensions de l'organisme s'éliminent... On se laisse tranquillement envahir par une détente de plus en plus profonde... de plus en plus globale...

Sensations corporelles de détente

La détente devient de plus en plus présente... Elle augmente progressivement... On note bien les sensations physiques qui accompagnent la détente musculaire... On examine la pression des talons sur le lit... le contact des jambes... des cuisses... du bassin... On sent le creux au niveau des reins... On cherche les sensations de pression au niveau du dos... des épaules... On essaie de suivre les contours de la zone de contact du dos avec le lit... On examine la zone de contact de la tête qui repose sur le lit... On en dessine les contours en imagination... Insensiblement... des sensations confortables... de lourdeur... de pesanteur... ou de chaleur nous gagnent... On laisse ces sensations confortables s'amplifier... devenir plus présentes... On examine paisiblement les régions du corps ou ces sensations sont les plus nettes... On les recherche en particulier au niveau des mains... On laisse ces sensations diffuser... irradier... On laisse ces sensations se généraliser... Au besoin on se stimule... On se répète intérieurement... «Mes bras sont lourds... de plus en plus lourds... Mon corps est lourd... de plus en plus lourd»... On s'imagine comme attiré par la pesanteur... Les mains paraissent s'enfoncer dans le lit... Tout notre corps paraît s'enfoncer dans le lit... Le contact du corps se fait de plus en plus pesant sur le lit... On laisse ces sensations devenir de plus en plus présentes... Le sentiment de calme... de détente continue à progresser imperceptiblement... On laisse venir ces sensations normales... confortables... sensations de lourdeur... sensations de chaleur... On note les zones où ces sensations sont les plus présentes... On cherche une sensation de chaleur au niveau du plexus... On se répète... «Mon plexus solaire est chaud... de plus en plus chaud»... On recherche les battements du cœur... réguliers... calmes et forts... On se répète... «Mon cœur bat calme et fort»... On laisse venir toutes ces sensations normales... confortables... On les laisse devenir plus présentes... On laisse la détente s'approfondir... La respiration continue calmement... régulièrement... Le corps devient lourd... de plus en plus lourd... On se répète intérieurement... «Mon corps devient lourd... de plus en plus lourd»... Un pro-

fond soupir nous aide à mieux faciliter ces sensations...
On savoure ces sensations bénéfiques... «Mon corps est
lourd... de plus en plus lourd... Je respire calmement...
régulièrement... profondément... Mon corps est de plus
en plus lourd... de plus en plus relâché... agréablement
chaud»...

Détente mentale

Insensiblement, la détente physique induit une agréable
détente de l'esprit... La détente physique se communique
progressivement à tout l'organisme... Un état de calme
intérieur devient plus présent... On apprécie cette agréable
sensation de détente... de relâchement... On apprécie la
sensation de délassement... de tranquillité... On se laisse
aller à ce sentiment de bien-être... On se sent tout à fait
calme... Plus rien ne peut nous déranger... Si des pensées
ou des images surviennent... On fait comme si on était un
spectateur indifférent... On n'est pas concerné par ces pensées... On se sent calme... parfaitement calme... On se
répète intérieurement... «Je me sens calme»...

Approfondissement de la détente

On laisse son esprit s'engourdir... On se laisse descendre
au bord de l'endormissement... comme gagné par une
agréable torpeur... On se laisse glisser dans cette agréable
sensation de détente... Chaque expiration approfondit la
détente... Chaque expiration nous fait descendre dans une
détente... de plus en plus profonde... On se sent de plus
en plus calme... La détente se fait de plus en plus profonde... Pour faciliter cette descente vers une relaxation
encore plus profonde... on peut s'aider, d'un mot à soi...
d'un mot ou d'une image personnelle:.. qui évoque la descente... l'approfondissement de la relaxation... On se
répète intérieurement ce mot... Chaque expiration approfondit la détente...

Image mentale de détente

On laisse venir une image plaisante... une image personnelle, de notre choix... qui évoque le bien-être... le calme... la détente... le confort... Il peut s'agir d'un paysage de mer... de montagne... de campagne... ou de toute autre image... On laisse venir cette image... comme une rêverie... comme un souvenir qui revient très présent à la mémoire... On fixe son attention sur cette image... On imagine les détails... les contours... les formes... les couleurs... On imagine les sons... les bruits qui sont associés... On respire les odeurs... On apprécie les saveurs... Tous nos sens évoquent cette image plaisante... Cette image évoque le calme... le bien-être... On s'imagine présent dans cette scène... On se représente le contact des objets autour de soi... On se sent bien... détendu... calme... La respiration est régulière... profonde... libre...

Principes d'utilisation de la relaxation

Comme conséquences de cette profonde détente... les systèmes de défense de l'organisme se renforcent... L'état de relaxation favorise le repos... le sommeil... L'organisme économise l'énergie qui lui permettra de faire face aux situations agressives... Cet état de détente est incompatible avec toutes situations désagréables... La respiration continue son mouvement calme... régulier... Le corps est lourd... agréablement lourd... On se laisse aller à cette sensation de bien-être... de détente... de repos... Avec de l'entraînement, la détente s'obtiendra de plus en plus facilement... automatiquement... comme un nouveau réflexe... Chaque fois que cela sera utile... on pourra prendre une profonde respiration... on relâchera l'air tranquillement... et immédiatement les sensations de détente physique... de calme... seront présentes... On s'aidera de phrases simples pour approfondir la détente... «Je respire calmement... régulièrement... profondément... Mon corps est lourd... détendu»... La détente s'obtiendra automatiquement... dans les situations de la vie quotidienne... allongé... mais également assis... debout... et dans les situations de la vie courante... Cette détente permettra de mieux contrôler les situations agressives... Cette profonde détente est incompatible avec les situations agressives... Cette détente pourra être utilisée avant... pendant... après... toutes situations agressives... L'organisme va acquérir de nouveaux réflexes de protection... Toute tension deviendra le signal pour se relaxer... Dans les situations de tension... automatiquement... l'organisme réagira par une relaxation bénéfique... La respiration continue... calme... régulière... profonde... On se sent calme... parfaitement calme... parfaitement détendu...

Reprise

On va quitter cet état de profonde détente... On bouge les doigts... On fait plusieurs contractions des mains... Et on ouvre tranquillement les yeux... On prend son temps... comme si l'on sortait d'un profond sommeil... Et on continue à se sentir bien... dispos... On peut éprouver le besoin de s'étirer... de bâiller... de soupirer...

3) Les exercices respiratoires

Toutes les techniques de relaxation accordent une place particulière aux exercices respiratoires. L'importance de la respiration dans le contrôle d'une situation stressante justifie une description à part. Il est relativement simple de modifier, intentionnellement, le mouvement respiratoire. Cette possibilité de contrôle favorise le transfert de la relaxation aux situations de la vie quotidienne.

A) PRINCIPE

La respiration assure une fonction vitale de l'organisme en permettant les échanges gazeux avec l'air ambiant. Rappelons que l'air inspiré apporte l'oxygène et que l'air expiré rejette le dioxyde de carbone (gaz carbonique). Au niveau des poumons, l'oxygène de l'air diffuse dans le sang qui le transporte jusqu'au niveau des tissus. Des systèmes de régulation permettent d'adapter le fonctionnement respiratoire aux besoins de l'organisme.

Le rythme de la respiration s'accélère dans diverses circonstances, en particulier lors de la réaction d'alerte. Qui n'a pas éprouvé une respiration courte, rapide, haletante, angoissée, oppressée lors de certaines émotions désagréables. On connaît l'expression courante : «Ouf! je peux respirer», qui exprime bien le soulagement après un événement stressant. Respirer calmement, profondément, est incompatible avec le stress ou l'émotion douloureuse. Le soupir peut être considéré comme une réaction spontanée de l'organisme pour réduire la tension psychologique.

Le mouvement de la respiration s'effectue avant tout automatiquement, sans que la conscience intervienne. Un contrôle volontaire, intentionnel, est également possible. On peut contrôler séparément, ou en même temps, la fréquence et l'amplitude du mouvement respiratoire. La fréquence respiratoire peut devenir plus ou moins lente, l'amplitude plus ou moins profonde.

Le principal muscle respiratoire est le diaphragme. Il se situe à la jonction de la cage thoracique et de l'abdomen. L'inspiration correspond à la contraction active du diaphragme. Pendant la contraction, le diaphragme s'abaisse et l'abdomen se gonfle. L'expiration correspond à une décontraction passive. Pendant l'expiration, le diaphragme remonte vers la cage thoracique et l'abdomen se dégonfle. Le mouvement respiratoire peut prédominer au niveau thoracique ou abdominal. La respiration de type abdominal induit plus facilement un état de relaxation.

B) ENTRAÎNEMENT

Dans la pratique, les exercices respiratoires seront associés à ceux de la relaxation musculaire. Ils se pratiquent dans les mêmes postures (allongé, assis, debout, pendant les mouvements). La première étape consiste à prendre conscience du type de mouvement respiratoire au repos : plus ou moins basse ou haute, plus ou moins abdominale ou thoracique. On étudie le rythme, la profondeur du mouvement respiratoire. Pour mieux prendre conscience du mouvement de la respiration, on peut poser une main sur l'abdomen et l'autre sur le thorax. Le contact de la main aide à percevoir les caractères du mouvement respiratoire. Les mains posées se soulèvent à l'inspiration et s'abaissent à l'expiration. On peut ainsi favoriser un mouvement abdominal de la respiration. On peut s'exercer à contrôler en même temps ou séparément rythme et amplitude. Au repos, on favorise une respiration calme, profonde, lente. L'attitude générale est identique à celle de la relaxation : on laisse faire ; on garde une attitude passive, sans chercher à forcer. La respiration devient progressivement plus calme, plus régulière, plus profonde.

Pour bien prendre conscience du caractère relaxant du temps expiratoire de la respiration, on peut faire l'exercice suivant. On bloque l'air inspiré pendant quelques secondes (quatre ou cinq secondes). On relâche lentement, passivement, complètement. L'expiration, temps passif, se fait « comme un ballon qui se dégonfle ». On apprécie bien la détente qui accompagne l'expiration. Une fois familiarisé avec la respiration « abdominale », on peut s'entraîner à contrôler un mouvement soit thoracique, soit abdominal de la respiration. L'attention peut également s'entraîner à suivre le trajet de l'air dans les voies respiratoires : fosses nasales, arrière-gorge, trachée, bronches, poumons. On analyse les discrètes différences de température de l'air inspiré (plus frais) et de l'air expiré (plus chaud).

Pour contrôler les exercices, on peut compter la fréquence respiratoire avant, pendant et après. Un rythme au repos se situe en moyenne autour de dix à quinze mouvements par minute. Pendant les exercices, il se ralentit facilement vers quatre ou six mouvements par minute. Faire des exercices respiratoires ne signifie pas « respirer vite ». Une respiration trop rapide provoquerait des modifications métaboliques qui occasionnent des sensations désagréables à type d'étourdissement, de malaise ou de fourmillements des extrémités.

Les exercices respiratoires seront intégrés à l'entraînement à la relaxation. L'expiration profonde qui suit un soupir peut être utilisée comme un signal déclenchant pour plonger rapidement en relaxation. Elle aide à retrouver automatiquement l'ensemble des manifestations de la réponse de relaxation. Plonger rapidement en relaxation est utile pour savoir faire face à une situation stressante inattendue. Le grand intérêt du contrôle respiratoire est que, tout en conservant une activité, quelques respirations profondes et lentes aident à diminuer la tension psychologique et à retrouver une respiration plus facile, plus libre, malgré un environnement stressant.

4) *Le détournement de l'attention*

La douleur, plus que toute autre sensation, a la propriété de capter l'attention. « Il ne faut pas y penser », conseille volontiers l'entourage. Comment faire ? Plus la douleur persiste, plus il devient difficile de l'oublier. Apprendre à diriger et à concentrer son attention est une étape supplémentaire de l'auto-contrôle de la douleur. Détourner l'attention vers des événements motivants tend à limiter l'importance de la douleur. Le détournement actif de l'attention permet de contrebalancer la douleur, de «fermer la porte». Contrairement à une idée reçue, parvenir à «oublier une douleur» n'implique pas que son mécanisme soit «imaginaire». Le détournement de l'attention met en jeu les processus neurobiologiques par lesquels le système nerveux central sélectionne les informations.

A) PRINCIPE

L'attention est l'action de fixer son esprit sur des événements extérieurs ou intérieurs. Elle peut être volontaire ou involontaire. Une stimulation nouvelle, par exemple un bruit soudain, attire, capte l'attention. Ce mécanisme est automatique. L'attention peut également être orientée et concentrée intentionnellement, volontairement. L'attention varie non seulement en direction mais également en intensité. Dans le langage parlé, des mots différents expriment une nuance d'intensité dans l'attention. «Regarder», «écouter», impliquent plus d'attention que «voir» ou «entendre». On peut concentrer, focaliser son attention. On peut s'imprégner très fortement d'un événement, ne penser qu'à lui, être totalement absorbé. Plus l'attention est concentrée sur un événement, plus il devient difficile d'être distrait par d'autres sources de stimulation. On ne peut fixer son attention simultanément sur plusieurs stimulations. Il y a goulet d'étranglement.

L'efficacité du détournement de l'attention dépend de la qualité de la concentration. Des études en laboratoire ont montré que «écouter de la musique» peut modifier la perception d'une douleur, mais uniquement si le sujet adopte une attitude particulière.

Il faut qu'il se concentre, qu'il chantonne avec la musique, qu'il marque le rythme… L'attitude efficace n'est pas d'entendre passivement la musique. Pour se concentrer visuellement, on examine chaque détail comme s'il était grossi avec une loupe ou agrandi par le zoom d'une caméra.

Le détournement de l'attention est à la base de nombreuses stratégies d'autocontrôle de la douleur. Ces stratégies sont particulièrement utiles pour maîtriser les accès douloureux. Certaines personnes ont remarqué les effets bénéfiques du détournement de l'attention. Lorsque leur esprit est accaparé par une activité intéressante, ils pensent moins à la douleur. Développer des activités, physiques ou intellectuelles, aussi captivantes que possibles, est en soi une façon efficace pour détourner son esprit de la douleur. Lorsque la douleur ne peut être oubliée, il faut pouvoir disposer de stratégies personnelles pour concentrer encore plus son attention. Ces stratégies réclament de l'entraînement. Elles deviendront des armes supplémentaires pour mieux faire face.

B) ENTRAÎNEMENT

Tout événement, toute stimulation, peut devenir un prétexte pour s'entraîner à se concentrer. Par exemple : regarder la télévision, écouter de la musique, détailler un objet ou un tableau, compter les motifs d'un papier peint…

On peut également se concentrer sur des événements « intérieurs » : des sensations physiques ou des pensées. Les sensations évoquées par les techniques de contre-stimulation, celles de la relaxation (lourdeur, chaleur, fraîcheur), le mouvement de la respiration, peuvent aider à se concentrer. Il peut être utile de fixer l'attention sur une région « à distance » du siège de la douleur.

Diverses activités mentales permettent de se concentrer. On peut s'absorber dans des projets pour le prochain week-end, dans un calcul mental, dans un jeu des sept erreurs, dans une réussite aux cartes, dans une poésie, des prières, une chanson...

L'aptitude à se concentrer sur un événement donné est variable selon chaque individu. Le bricoleur, le manuel, le mélomane ou le scientifique ont des compétences différentes selon les tâches. Il importe de choisir deux ou trois thèmes qui vous paraissent correspondre à vos propres compétences. Le caractère plaisant, motivant, de l'événement conditionne l'intensité de la concentration.

Une stratégie efficace face à la douleur est de bien focaliser son attention sur un événement incompatible, tout en laissant l'organisme plonger en profonde relaxation.

5) L'imagerie mentale dirigée

Certains patients réduisent efficacement la perception de leur douleur en fixant l'attention sur des représentations imagées. Nous désignerons ces techniques sous le terme d'«IMAGERIE MENTALE DIRIGÉE». Leur principe est d'activer, en imagination, la représentation d'une sensation, d'une scène, d'un événement incompatibles avec la douleur.

A) PRINCIPE

Les représentations imagées sont une forme particulière du fonctionnement mental. Si l'on évoque l'idée que la mer est calme, chacun peut se représenter, mentalement, l'image d'une mer calme, sans vague... Cette image est personnelle, mais sa «réalité» ne fait pas de doute. S'il était nécessaire, on pourrait en faire le dessin. Les mécanismes neuro-biologiques de ces phénomènes ont été très peu étudiés. Changeux (24) propose le terme d'«objet mental» pour renforcer l'idée que les images mentales possèdent un support neurobiologique. On admet qu'il y a une parenté neuronale entre la perception d'un objet et sa représentation imagée.

L'efficacité des techniques d'imagerie dépend de l'aptitude du sujet à former une représentation mentale claire, bien présente. Ce n'est donc pas tant la nature de l'image que son caractère captivant, absorbant, qui intervient (70). Le choix d'une stratégie est lié aux aptitudes individuelles. Il est plus facile pour un mélomane d'évoquer des images musicales, pour un amateur de peinture d'évoquer des images visuelles... Les souvenirs agréables de chacun fournissent un réservoir d'idées pour inventer une stratégie d'imagerie mentale personnelle.

B) ENTRAÎNEMENT

On peut concevoir une très grande variété de stratégies basées sur l'imagerie mentale. Nous décrirons celles qui sont le plus souvent utilisées par les patients. Elles serviront de modèle pour que chacun puisse mettre au point sa propre technique. Pour bien focaliser l'attention, l'imagination doit utiliser les cinq sens : vision, audition, toucher, odorat, goût. Pour faciliter la survenue d'images plus présentes, plus claires, on peut s'imaginer regarder un écran de télévision ou des diapositives. Les techniques d'imagerie mentale peuvent se réduire à trois groupes de stratégies : se concentrer sur une image agréable, transformer une image représentant la douleur, transformer le contexte de la douleur (70).

Se concentrer sur une image agréable, incompatible avec la douleur, est une stratégie fréquemment utilisée. Les thèmes n'ont en soi que peu d'importance. Il peut s'agir d'un paysage de mer, de montagne, d'un souvenir de vacances, d'une promenade passée ou à venir, d'une réunion d'amis... On évoque non seulement l'image, mais on cherche à éprouver les sentiments plaisants associés. On se représente soi-même, spectateur et/ou acteur de cette scène.

Dans d'autres situations, la douleur peut être représentée sous la forme d'une «visualisation», d'une image symbolique. Par exemple, certains patients peuvent imaginer leur douleur «comme un ciel sombre, orageux, chargé de nuages »... En imagination, une fois cette image bien présente, ils la transforment en une image plus neutre, plus reposante : le ciel devient plus serein, plus calme, la lumière plus agréable... Les images spontanément perçues peuvent servir de point de départ à ce type de stratégie. Ainsi un patient pour lequel la douleur était une sensation de striction d'une main gantée peut imaginer le gant qui relâche progressivement son étreinte... On peut également imaginer que chaque expiration élimine un air nocif, chargé des «vapeurs» de la douleur. Chaque inspiration permet d'inhaler un air pur, bénéfique... Ces stratégies imaginatives sont bien entendu associées et combinées à des exercices de relaxation.

Certains patients arrivent à contrôler leur douleur en s'imaginant dans un autre contexte. Par exemple, ils s'imaginent être le héros d'un feuilleton télévisé cherchant à échapper à des poursuivants dangereux, ou un sportif qui doit impérativement continuer une compétition et la gagner. Ils choisissent une situation d'urgence où «il y a mieux à faire que de s'occuper de la douleur».

À partir de ces différents exemples, il est possible d'envisager deux ou trois thèmes d'imagerie mentale. Ils serviront de point de départ pour élaborer des stratégies qui devront être perfectionnées et pratiquées dans des niveaux de difficultés croissantes.

6) La réinterprétation de la douleur

Pour un certain niveau d'intensité, il devient très difficile de maintenir l'attention hors de la douleur. Pour faire face à cette situation, il faut s'entraîner à porter son attention sur la douleur mais en l'observant de façon différente, en modifiant son interprétation. On cherche à ne considérer qu'un seul des aspects de la douleur. Les qualificatifs décrivant la douleur sont une aide pour ce type d'exercices. On choisit les sensations tolérables, acceptables. On se focalise sur un seul qualificatif de la douleur : picotements, pesanteur, lourdeur… On néglige les autres facettes plus désagréables.

L'attention se porte sur la douleur mais avec recul, avec de la distance. La douleur est examinée avec indifférence, avec négligence. On l'observe de façon neutre, comme un spécialiste examinerait un phénomène scientifique pour en faire une description. Réinterpréter la sensation de douleur peut solliciter plus ou moins l'imagination. On imagine la douleur au travers de qualificatifs de tonalité moins agressive. Ainsi une douleur de «broiement» sera réétiquetée «serrement». Une douleur décrite comme une «plaie à vif» sera redénommée «simple sensation de coup de soleil»… On peut imaginer les sensations de chaud ou de froid produites par les techniques de contre-stimulation, les sensations d'une anesthésie locale ou l'insensibilité due à un massage à la glace…

L'entraînement à ces techniques sera progressif. On les utilise pour des douleurs de niveau croissant. Ces stratégies de «réinterprétation» sont souvent utilisées en alternance avec les stratégies de détournement de l'attention. Les patients passent d'une stratégie à l'autre selon les nécessités, en les associant à des exercices respiratoires et à la relaxation (70).

II

Organiser le changement

Tout au long de cet ouvrage, nous avons souligné que, contrairement aux idées reçues, une douleur est modifiable. Certaines attitudes, certains comportements ont tendance à l'augmenter, d'autres à l'atténuer. On peut choisir entre contrôler sa douleur ou la laisser devenir vraiment rebelle. Les personnes intéressées par cette alternative trouveront dans le Tableau VIII des conseils appropriés !

Des changements sont possibles. Lesquels souhaitez-vous réellement entreprendre ? Savoir organiser un programme réaliste peut être difficile et réclame de la motivation. Pour certains, un long chemin est à parcourir, mais dans quelle direction faire les premiers pas ? Le principe de base est d'organiser des étapes de difficultés croissantes. Ces changements limités, mais répétés quotidiennement, jour après jour, construisent progressivement une amélioration significative.

CONTRÔLER LES FACTEURS FAVORISANTS, RENFORCER LES FACTEURS INHIBITEURS, permet, à plus ou moins long terme, de transformer la douleur en une sensation plus banale, plus supportable, plus indifférente. Si certains patients peuvent espérer voir disparaître leur douleur définitivement, les autres réussiront à l'accepter, à cohabiter avec, à vivre aussi

Tableau VIII

Douze conseils pour qu'une douleur devienne vraiment rebelle !

1) CESSER TOUTE ACTIVITÉ (PHYSIQUE, INTELLECTUELLE) ; ATTENDRE SANS RIEN FAIRE.

2) DÈS QU'IL Y A UN MIEUX, S'ACTIVER ET NE SAVOIR S'ARRÊTER QU'UNE FOIS LA DOULEUR DEVENUE TROP INSUPPORTABLE.

3) ATTENDRE TOUJOURS LE DERNIER MOMENT POUR PRENDRE LES CALMANTS EFFICACES.

4) TOUJOURS PRENDRE LE MOINS POSSIBLE DE MÉDICAMENTS.

5) PENSER QU'OBLIGATOIREMENT LES MÉDECINS CACHENT QUELQUE CHOSE D'ENCORE PLUS GRAVE.

6) VOULOIR À TOUT PRIX QUE LES AUTRES COMPRENNENT.

7) NE JAMAIS RATER UNE OCCASION POUR PARLER DE SA DOULEUR.

8) CHANGER SANS CESSE DE TRAITEMENTS ET DE MÉDECINS.

9) PENSER QUE VOUS N'Y POUVEZ RIEN ET QUE C'EST EXCLUSIVEMENT L'AFFAIRE DES MÉDECINS.

10) REFUSER LA DOULEUR, LA COMBATTRE, S'IRRITER CONTRE ELLE.

11) NE TENIR COMPTE QUE DU CÔTÉ NÉGATIF DES CHOSES.

12) S'ASSURER SANS CESSE QUE LA DOULEUR EST TOUJOURS LÀ !

normalement que possible. Le phénomène peut être comparé à l'adaptation aux bruits. Avec le temps, il devient possible de ne plus y penser, de s'habituer. « Le bruit des voitures ou des trains est toujours là mais n'a plus d'importance » (voir p. 55).

Avant de tirer un réel profit des techniques d'autocontrôle de la douleur, il faut les apprendre et bien les maîtriser grâce à un entraînement régulier. Les différentes stratégies décrites séparément seront le plus souvent associées, combinées. Une personne utilise dans certaines situations la relaxation et le détournement de l'attention, dans d'autres circonstances les contre-stimulations et la réinterprétation de la douleur. Nous allons examiner plus attentivement quand et comment utiliser les techniques de contrôle. Les problèmes à résoudre sont rarement limités au seul contrôle de la douleur. Reprendre des activités, changer les pensées mal adaptées, se désensibiliser au stress, savoir se comporter avec l'entourage sont autant d'étapes complémentaires nécessaires au changement.

1) Contrôler la douleur

Les techniques de contre-stimulation ont l'intérêt de pouvoir faire rapidement la preuve de leur efficacité. En comparaison, les techniques de relaxation et d'autocontrôle de la douleur doivent être parfaitement maîtrisées avant de devenir une arme efficace. Un entraînement régulier, une utilisation par étapes progressives, face à des niveaux croissants de douleur, sont donc des principes essentiels. Pour la relaxation par exemple, on débute l'entraînement en position allongée, à des moments où la douleur est absente ou à son plus faible niveau. Dans ces conditions, l'objectif se limite au perfectionnement de la réponse de relaxation. En fonction des progrès, on s'autorise à s'entraîner dans des situations de difficultés croissantes : en position assise, debout, lors de mouvements et de certaines activités. On teste la technique contre des niveaux de douleur progressivement croissants. Bien maîtrisée, la relaxation doit permettre de plonger rapidement dans un état de profonde détente. Cette descente rapide sera utile pour contrôler des accès brusques, subits, de douleur. Dès que la réponse de relaxation est maîtrisée, on cherche à l'associer non seulement aux autres techniques de contrôle de l'attention (détournement, imagerie mentale, réinterprétation de la douleur) mais également aux procédés de contre-stimulation.

Les techniques d'autocontrôle neutralisent « sur le coup », « dans l'instant », la douleur. Le problème est donc de préciser « quand » les utiliser, pour que les effets soient les plus profitables. Trop fréquemment, ces techniques sont utilisées en dernier recours, lorsque la douleur est devenue vraiment intolérable. Nous avons déjà signalé cette attitude à propos de la prise des antalgiques (voir p. 121). Les techniques d'autocontrôle doivent être utilisées préventivement, périodiquement, de façon fractionnée.

Selon le niveau de douleur, nous allons examiner les comportements qui peuvent être adoptés. Nous décrirons plus loin (p. 180) la conduite à tenir en ce qui concerne la poursuite ou l'arrêt des activités.

NIVEAU 0 : PAS DE DOULEUR.

L'absence de douleur permet de perfectionner les techniques d'autocontrôle : relaxation et contrôle de la douleur. Malgré l'absence de douleur, on les pratique périodiquement et préventivement.

NIVEAU 1 : LA DOULEUR EST PRÉSENTE SI J'Y FAIS ATTENTION. J'ARRIVE À NE PAS Y PENSER.

À ce stade, la douleur peut facilement être « oubliée ». On s'entraîne cependant à utiliser certaines techniques tout en maintenant les activités en cours : concentrer et détourner son attention, respirer calmement et profondément, se relaxer. On analyse les difficultés rencontrées pour perfectionner les techniques et mieux les adapter à son propre cas.

NIVEAU 2 : LA DOULEUR EST PRÉSENTE. J'ARRIVE À L'OUBLIER UN PEU.

La difficulté augmente. Lorsque la douleur se rappelle à l'attention, on s'exerce à réagir en se concentrant plus activement dans les activités en cours. Dans les premiers temps, ces réactions sont intentionnelles. Avec de l'entraînement, elles deviendront automatiques. Si c'est nécessaire, on passe à des activités plus attractives, plus motivantes.

NIVEAU 3 : LA DOULEUR ATTIRE MON ATTENTION. J'ARRIVE À L'IGNORER DE TEMPS EN TEMPS.

L'attention est attirée par la douleur, mais on réagit par un détournement actif de l'attention, des exercices respiratoires, une réponse de relaxation. On se concentre bien dans les activités en cours. On maintient l'activité en cours selon le programme défini. On peut faire une courte pause, interrompre temporairement les activités, pour bien contrôler la douleur et mieux se relaxer. On prévoit une pause prochaine selon le programme d'activités, de façon à ne pas attendre trop tard pour arrêter l'activité en cours. Cette pause permet d'utiliser au mieux les stratégies de contrôle pour prévenir l'évolution vers le stade suivant.

NIVEAU 4 : LA DOULEUR CAPTE TOUTE MON ATTENTION. JE N'ARRIVE PLUS À ME CONCENTRER SUR AUTRE CHOSE.

À ce stade, l'attitude adaptée est avant tout de s'interroger sur les possibles facteurs favorisants de cet accès de douleur. Les activités physiques ont-elles été poursuivies trop longtemps ? Une situation stressante a-t-elle été mal identifiée, insuffisamment gérée ? On doit interrompre les activités en cours pour faire une pause et utiliser au mieux les stratégies d'autocontrôle de la douleur. On s'installe dans une position confortable. On associe tous les moyens disponibles pour neutraliser la douleur : contre-stimulation, relaxation profonde, détournement de l'attention, imagerie mentale dirigée, réinterprétation de la douleur. En fonction des besoins, on passe d'une stratégie à l'autre.

2) *Reprendre des activités*

Il est capital de développer ou de reprendre des activités de tout ordre : physiques ou intellectuelles, familiales, ménagères, de loisirs ou professionnelles... La reprise des activités est justifiée au moins pour deux raisons. La première est la nécessité de maintenir une condition physique satisfaisante chez des personnes qui souvent « ne font plus rien ». La seconde est l'effet de diversion de l'attention qui atténue le niveau de douleur. Avoir un emploi du temps bien rempli, faire ce que l'on a à faire, mais à son propre rythme, aide celui qui souffre de douleur rebelle.

En général, la « peur » d'augmenter la douleur est la raison qui fait obstacle à la reprise des activités. Comment en faire plus sans craindre de réveiller la douleur ? On peut réussir à augmenter la durée ou la performance d'une activité, quelle qu'elle soit, si l'on respecte le conseil suivant : SAVOIR S'ARRÊTER DANS UNE ACTIVITÉ, SANS ATTENDRE L'ALARME DE LA DOULEUR (29, 30). En pratique, on « découpe » ses activités en intercalant des périodes de repos. Ces pauses ont l'intérêt de permettre la pratique des techniques d'autocontrôle. Au début, on fixe la durée possible de l'activité à la moitié ou au tiers du temps nécessaire au réveil de la douleur. Progressivement, on augmente la durée des périodes d'activité, selon des étapes préétablies que l'on juge possibles. L'important est de savoir ne pas aller jusqu'à la limite de réveil de la douleur. Il est préférable au début de sous-estimer ses possibilités. Le plus important est de progresser et d'atteindre les buts fixés par avance. Réaliser cet objectif doit être compris comme un encouragement à persister et à AUGMENTER PROGRESSIVEMENT SES PERFORMANCES.

Prenons un exemple : une douleur «de dos» est augmentée par la station debout. L'auto-observation détermine qu'après deux à trois heures de station debout, la douleur devient intolérable et oblige la personne à s'allonger. Au repos, la douleur se calme au bout d'une heure environ. Pour augmenter la tolérance à la station debout, la démarche suivante peut être proposée : faire alterner des périodes d'une heure de station debout et de trente minutes de repos. Sur l'ensemble de la journée, il apparaît que cette façon de faire ne diminue pas le temps total de «station debout». L'intérêt de cette démarche «préventive» est de ne pas réactiver la douleur. Progressivement, les périodes «station debout» sont allongées en fonction de ce que la personne pense pouvoir faire. La reprise des activités ne consiste donc pas à aller vérifier si trois heures de «station debout» seraient devenues possibles. Cette attitude serait la meilleure façon de «réactiver la douleur». On peut appliquer le même principe à toute forme de reprise d'activité : temps de marche, temps de position assise, ou à toute autre activité physique. En associant cette démarche aux techniques d'autocontrôle, il devient possible d'en faire plus et avec moins de douleur.

Examinons les comportements à adopter en fonction des niveaux d'activité et de douleur. Bien entendu, la démarche est valable uniquement si l'auto-observation a bien montré l'existence d'un cercle vicieux activité-douleur.

NIVEAU 0 : PAS DE DOULEUR. ACTIVITÉ TOUT À FAIT NORMALE.

Malgré l'absence de douleur, il faut savoir s'arrêter dans certaines activités pour prendre une pause. On se limite au temps fixé par le programme.

NIVEAU 1 : IL Y A UN FOND DE DOULEUR. JE FAIS CE QUE J'AI À FAIRE NORMALEMENT.

On maintient l'activité en cours en fonction des limites définies par le programme. Tout en maintenant l'activité, on s'entraîne à contrôler la douleur par des exercices respiratoires, de relaxation, de détournement de l'attention.

NIVEAU 2 : JE FAIS CE QUE J'AI À FAIRE. LA DOULEUR GÊNE DE TEMPS EN TEMPS MES ACTIVITÉS.

Malgré la gêne, on maintient comme au stade précédent l'activité en cours. On réagit par des stratégies appropriées.

NIVEAU 3 : JE FAIS CE QUE J'AI À FAIRE. LA DOULEUR M'OBLIGE À RÉAGIR : JE ME PLAINS, JE FAIS LA GRIMACE, JE PORTE LA MAIN À LA DOULEUR.

On s'entraîne à remplacer les réactions douloureuses par des comportements adaptés : relaxation, exercices respiratoires, détournement de l'attention. Ces réactions peuvent nécessiter d'interrompre transitoirement l'activité. On peut envisager une pause pour prévenir l'escalade d'un accès douloureux.

NIVEAU 4 : JE DOIS INTERROMPRE CE QUE J'AI À FAIRE.

On s'interroge sur les causes favorisantes de l'accès douloureux. Les activités ont-elles été menées au-delà du programme prévu ? Une situation de stress est-elle en partie responsable ? On examine quelles dispositions auraient pu être prises pour réussir à bloquer préventivement cet accès. La pause permet d'utiliser et d'associer les diverses stratégies de contrôle de la douleur.

La motivation est un facteur non négligeable qui conditionne la reprise des activités. Plus l'intérêt est marqué, plus l'attention peut se concentrer et contrebalancer la perception douloureuse. Il peut être utile d'organiser la reprise des activités en débutant par les plus captivantes.

3) Remplacer les pensées mal adaptées

Certaines pensées mal adaptées, erronées, amplifient la douleur, la composante émotionnelle associée et les comportements douloureux. Même si les médecins ont pris le temps de fournir les explications nécessaires, le patient ne peut abandonner immédiatement ses habitudes de pensée, ses croyances, ses raisonnements. Il doit donc s'exercer à penser de façon positive, de façon à se stimuler vers des comportements adaptés. L'auto-observation permet de préciser la nature des pensées mal adaptées et les situations dans lesquelles elles surviennent. Elles sont notées au fur et à mesure dans le journal. Une tactique utile est d'apprécier, sur le moment, dans quelle proportion ces pensées paraissent vraies. Secondairement, en fin de journée ou lors d'un entretien avec son médecin, on examine à nouveau dans quelle

181

mesure les pensées paraissent vraies, on étudie comment les remplacer par des formulations positives, mieux adaptées. Lorsqu'à nouveau ces idées surviennent, on s'entraîne à les corriger systématiquement. Au besoin, on répète à mi-voix les formulations positives. Avec de l'entraînement, ces pensées positives surviendront de façon automatique et favoriseront les comportements adaptés.

Prenons un exemple. Mme H. présente une douleur faciale, sans cause grave, depuis trois ans. Elle redoute un cancer. La pensée mal adaptée qui survient périodiquement et qui précède, accompagne ou suit les crises douloureuses est la suivante : « Cette douleur ne peut être due qu'à un cancer qui n'a pas encore été découvert. » Sur le moment, cette pensée lui paraît vraie à 90 %. Pourtant, lors des consultations, Mme H. reconnaît combien cette idée n'est pas justifiée. Elle sait que tous les examens nécessaires ont été pratiqués, qu'il n'y a aucune raison de suspecter un cancer... Lors des consultations, elle admet que cette pensée n'est vraie qu'à 5 %. La démarche proposée consiste à lui faire discuter les arguments « pour » ou « contre » cette hypothèse. Elle a dressé le bilan des arguments en les commentant à haute voix. La consigne est de reprendre les mêmes raisonnements, toute seule, chaque fois que cette pensée négative s'impose à nouveau à elle.

4) Se désensibiliser au stress

Les relations entre le stress et la douleur sont à double sens. La douleur est un stress en soi. Elle fragilise aux autres formes de stress. Celles-ci favorisent en retour les accès douloureux. On peut apprendre à réagir différemment aux situations stressantes. Nous décrirons deux techniques complémentaires : la

DÉSENSIBILISATION SYSTÉMATIQUE (45, 70). Face à un stress, l'attitude thérapeutique n'est pas de chercher à l'éviter, mais d'apprendre à le contrôler, à le surmonter. Le problème n'est pas la situation stressante elle-même, mais la façon dont on réagit. Avant d'appliquer ces techniques, il faut maîtriser la réponse de relaxation. L'auto-observation aura permis d'établir un inventaire des situations stressantes, des problèmes rencontrés. Ces situations sont classées selon une hiérarchie croissante.

Le principe de la «DÉSENSIBILISATION SYSTÉMATIQUE» (75) est de se représenter, en imagination, les situations stressantes (ou un accès de douleur), tout en maintenant un état de relaxation. La technique comporte les étapes suivantes :

1) On se met en état de relaxation.

2) On évoque, en imagination, la première scène de la hiérarchie. On se la représente aussi réelle que possible en faisant participer tous les sens (couleurs, sons, contacts physiques, odeurs, saveurs). On peut évoquer le souvenir d'un accès de douleur.

3) Lorsque la scène est bien présente à l'esprit, clairement perçue, on note l'apparition de tensions physiques ou psychologiques, parfois une accentuation du niveau de douleur.

4) Ces tensions physiques ou psychologiques deviennent le signal pour réagir par des exercices respiratoires, une détente musculaire.

5) On observe la tension qui diminue sous l'influence de la relaxation.

On recommence la même procédure, jusqu'à ce que la scène puisse être imaginée calmement, sans tension, sans anxiété. Ensuite, on passe à la scène suivante de la hiérarchie. On progresse ainsi de suite. Après un entraînement en imagination, on tente le transfert de l'autocontrôle à la réalité. Dans la situation réelle, il est normal que la tension ne disparaisse pas complètement mais reste à un niveau contrôlable.

L'INOCULATION DU STRESS (45, 70) consiste à recourir à un répertoire de pensées adaptées. On les substitue aux dialogues intérieurs mal adaptés qui précèdent (avant), accompagnent (pendant) ou suivent (après) les situations de stress ou les accès douloureux. On peut reconnaître quatre phases successives à une situation stressante. La phase «AVANT» qui est la préparation au stress, son attente. La phase de «DÉBUT» qui est la confrontation avec le stress. C'est pendant cette période que l'on commence à mettre en application les stratégies de contrôle. On peut passer d'une stratégie à l'autre si nécessaire. On se stimule par un dialogue intérieur positif. On redirige régulièrement l'attention sur les stratégies. La phase «PENDANT» est le moment critique. Dans le cas d'une douleur, on ne cherche pas à éliminer complètement toute douleur ou toute tension. On cherche à laisser le stress à un niveau contrôlable, à ne pas le laisser s'amplifier. On élimine les pensées négatives. On les stoppe volontairement, pour les remplacer par des propositions positives. La phase «APRÈS» permet de faire des commentaires sur sa propre performance.

L'inoculation du stress associe non seulement les techniques d'autocontrôle (relaxation, exercices respiratoires, imagerie, réinterprétation) mais également un répertoire de propos positifs. Ces propos sont utiles pour se stimuler à faire face. Ils se substituent aux pensées négatives. Ils aident à rediriger l'attention sur les stratégies utilisées. Le tableau IX présente des exemples de propos intérieurs utilisés par certaines personnes pour contrôler les différentes

Tableau IX

*Exemples de propos positifs aidant au contrôle
des différentes phases d'une situation
stressante (45, 70)*

AVANT

Je peux faire avec.

J'ai mon plan pour faire avec.

Je dois penser à ce que j'ai à faire.

Ça va marcher.

Je sais que je peux y arriver.

Je relève le défi.

Ça ne vaut pas la peine de s'en faire.

Il ne faut pas que je laisse progresser des pensées négatives.

C'est normal de me sentir tendu, l'important est de ne pas se laisser aller.

Ce sera difficile, mais je vais faire face.

DÉBUT

Très bien, je me sens tendu mais je vais respirer calmement, je me relaxe.

La tension est le signal pour approfondir la détente.

Je peux le faire et je vais le faire.

Je concentre mon attention sur la respiration.

J'ai ma stratégie pour faire face.

PENDANT

Il ne faut pas chercher à éliminer complètement la douleur, il suffit que je la garde sous mon contrôle.

Je peux la maintenir contrôlable.

Je me relaxe, je respire calmement.

Je sens que ça va mieux en me relaxant.

J'arrive à empêcher les choses d'empirer.

Voilà, je me relaxe, je concentre toute mon attention dans ma stratégie.

Stop ! maintenant j'utilise ma stratégie.

APRÈS
Je l'ai fait.
J'y suis arrivé.
J'arrive maintenant à réagir en contrôlant.
La prochaine fois, j'y arriverai encore mieux.
Il faudra que j'en parle à…

phases d'une situation stressante. Chacun doit se constituer son propre répertoire. On s'entraîne à cette stratégie en situation «imaginée» avant de passer à la réalité.

5) *Interagir avec les autres*

Même si celui qui souffre ne parle pas de sa douleur, les autres peuvent se rendre compte de sa douleur. Comment réagissent-ils à ces manifestations de douleur? Que peuvent-ils faire pour aider? Que peut en attendre celui qui souffre? Les interactions entre un patient et son entourage peuvent contribuer à son amélioration comme au maintien de sa douleur. Ces communications s'établissent non seulement au travers du langage (parler de la douleur, de la maladie, des traitements…), mais aussi au travers des gestes et des comportements douloureux visibles. Ces deux systèmes de communication ne transmettent pas obligatoirement la même information. Ainsi, un patient peut affirmer: «Tout va très bien.» Mais l'expression de son visage, sa posture ou un soupir expriment la douleur. L'inverse peut également s'observer: «J'ai terriblement mal, c'est insupportable.» Mais aucun signe visible ne montre la douleur. Les interactions entre celui qui souffre et son entourage sont complexes et utilisent des messages verbaux et non verbaux. Il faut bien prendre conscience de ces deux modes possibles de communication.

Nous avons décrit le rôle « aggravant » d'un entourage surprotecteur ou au contraire trop indifférent. L'entourage surprotecteur décharge le patient de toutes ses responsabilités ou tâches quotidiennes. Privé de ses activités, le patient reste centré sur des comportements « douloureux ». L'entourage indifférent paraît ne pas comprendre le patient. Plus ou moins consciemment, cette attitude le pousse à amplifier son comportement douloureux pour faire la preuve de la « réalité » de sa douleur.

Il est difficile d'émettre des règles uniques sur la façon de se comporter. On peut toutefois formuler les conseils suivants qui, s'ils sont bien compris de part et d'autre, permettent souvent d'aider celui qui souffre. Du point de vue du patient, il lui faut accepter l'idée que l'attitude la plus profitable est de ne pas parler « inutilement » de la douleur, de ne pas la montrer. Il lui faut savoir communiquer avec les autres sans tomber dans le piège de la question : « Comment ça va ? » Les réactions en retour sont rarement positives. De son côté, l'entourage doit apprendre à reconnaître et encourager autant que possible les comportements « bien portants », incompatibles avec la douleur. À l'inverse, il doit savoir ne pas prêter attention aux comportements « douloureux ». L'entourage doit se garder de manifester de l'affection, de la tendresse, des encouragements en les reliant aux manifestations de douleur. Au contraire, les témoignages d'affection, s'ils sont reliés aux comportements bien portants comme la reprise d'activités, seront un encouragement et un facteur de motivation très profitables à celui qui souhaite contrôler sa douleur.

III

Quelques dernières notions

Les moyens de lutte contre la douleur ne permettent pas à ce jour de garantir à tous les patients un soulagement radical et définitif. Les recherches sont multiples et touchent les domaines les plus variés. Les techniques « comportementales » sont une arme supplémentaire de l'arsenal thérapeutique contre la douleur. Face à une douleur rebelle et persistante, aucun moyen d'action ne doit être négligé.

Délibérément, cet ouvrage s'est centré sur la façon dont celui qui souffre peut collaborer activement à son amélioration. Notre prétention n'était pas de traiter, de façon exhaustive, l'ensemble des problèmes posés par le traitement de la douleur. Le développement de consultations de la douleur est venu fournir une chance supplémentaire pour mieux soulager les douleurs rebelles. Leur principe repose sur le travail en équipe pluridisciplinaire. Leur objectif est d'organiser un lieu de synthèse où les différents moyens thérapeutiques possibles contre la douleur peuvent être discutés, proposés. On aura compris que pour nous le traitement de la douleur ne se résume pas à la seule démarche décrite dans cet ouvrage. Tout est affaire d'indication, de cas particulier. Toutefois, face à une douleur rebelle et persistante, c'est très souvent en associant des traitements agissant à des niveaux d'action différents et complémentaires, que les résultats sont encore plus satisfaisants.

L'observation de ceux qui ont souffert de douleurs rebelles et qui ont profité des programmes thérapeutiques préconisés dans les consultations de la douleur permet de leur reconnaître un certain nombre de caractéristiques qui les différencient des autres (67). Les points qui paraissent essentiels peuvent se résumer ainsi :

1) COMPRENDRE LA NATURE DE LA DOULEUR REBELLE. Sortir du schéma le plus souvent inexact de la douleur due à une cause unique, pour reconnaître les nombreuses facettes du problème. Savoir que l'organisme dispose de ressources pour réagir.

2) ACCEPTER LA DOULEUR. La douleur est présente. Il faut accepter ce verdict pour apprendre à « vivre avec » et à « surmonter ». Il ne suffit pas d'accepter superficiellement, mais d'aller en profondeur : accepter la douleur et toutes ses conséquences.

3) ADHÉRER AUX TRAITEMENTS PRESCRITS. Les décisions thérapeutiques doivent être comprises, de même que leur intérêt. Avant de s'engager sans conviction dans les traitements, il faut discuter les arguments pour ou contre, les avantages et les inconvénients, en apportant sa confiance et en coopérant activement avec l'équipe médicale soignante.

BIBLIOGRAPHIE

1. ALBERTI R. E., EMMONS M. L., *Affirmez-vous*, Québec, Édisem, 1974, 105 p.

2. ALBE-FESSARD D., TYC DUMONT S., « Fonctions somato-sensibles », in Ch. Kayser (éd.), *Système nerveux muscle*, Paris, Flammarion, 1976, p. 437-519.

3. BANDURA A., *L'Apprentissage social*, Bruxelles, Mardaga, 1976, 206 p.

4. BARBER J., ADRIAN C., *Psychological Approaches to the Management of Pain*, New York, Brunner Mazel, 1982, 211 p.

5. BARBER J., MAYER D., « Evaluation of the efficacy and neural mechanism of a hypnotic analgesia procedure in experimental and clinical dental pain », *Pain*, 1977, 4, p. 41-48.

6. BASBAUM A. I., FIELDS H. L., « Endogenous pain control systems : Brainstem spinal pathways and endorphin circuitry », *Ann. Rev. Neurosci.*, 1984, 7, p. 309-338.

7. BECK A. T., WARD C. H., MENDELSON M., MOCK J. E., ERBAUCH J. K, « An inventory for measuring depression », *Arch. Gen. Psychiatr.*, 1961, 4, p. 561-571.

8. BEECHER H. K., *Measurement of Subjective Responses*, New York, Oxford University Press, 1959.

9. BELLISSIMO A., TUNKS E., *Chronic Pain, the Psychotherapeutic Spectrum*, New York, Praeger, 1984, 371 p.

191

10. BENSON H., *The Relaxation Response*, New York, Avon Books, 1976, 222 p.

11. BESSON J. M., GUILBAUD G., ABDELMOUMENE M., CHAOUCH A., « Physiologie de la nociception », *J. physiol.*, Paris, 1982, 78, p. 7-107.

12. BLUMER D., HEILBRONN M., « Chronic pain as a variant of depressive disease : the pain prone disorder », *J. Nerv. Ment. Dis.*, 1982, 170, p. 381-406.

13. BOGIN M., *Maîtriser la douleur*, Montréal, Le Jour, 1982, 249 p.

14. BONICA J. J., « Organization anf function of a pain clinic », *Adv. Neurol.*, 1984, 4, p. 433-443.

15. BOUREAU F., WILLER J. C., *La Douleur. Exploration, traitement par neurostimulation, électro-acupuncture*, Paris, Masson, 1979, 113 p.

16. BOUREAU F., LUU M., KOSKAS A. S., « Approche cognitivo-comportementale de la douleur chronique », *Act. psy.*, 1985, 2, p. 57-64.

17. BOUREAU F., LUU M., DOUBRERE J. F., « Qualitative and quantitative study of a french pain. Mc Gill adaptated questionnaire in experimental and clinical conditions », *Pain*, DB, suppl. 2, 1984, 422.

18. BOUREAU F., LUU M., GAY C., DOUBRERE J. F., « Les échelles d'évaluation de la symptomatologie douloureuse chronique », *Méd. Hyg.*, 1982, 40, p. 3797-3805.

19. BOUREAU F., LUU M., DOUBRERE J. F., GAY C., « Élaboration d'un questionnaire d'auto-évaluation de la douleur par liste de qualificatifs. Comparaison avec le Mc Gill Pain Questionnaire de Melzack », *Thérapie*, 1984, 39, p. 119-129.

20. BOUREAU F., DOUBRERE J. F., LUU M., COMBES A., « Principe d'organisation d'une consultation de la douleur », *Act. Psy.*, 1985, 2, p. 43-54.

21. BRESLER D. E., *Free Yourself from Pain*, New York, Wallaby Book, 1979, 479 p.

22. Brochure explicative Saint-Antoine, « Face à la douleur qui persiste », 1982, 8 p.

23. CAMBIER J., «Le langage de la douleur», *Act. Psy.*, 1985, 2, p. 21-27.

24. CHANGEUX J. P., *L'Homme neuronal*, Paris, Fayard, 1983, 419 p.

25. COSYNS P., «Modèle psychopathologique de la douleur chronique», *Algies pelviennes chroniques*, Soc. Franc. Gyn. (éd.), Paris, Masson, 1981, p. 39-49.

26. COTTRAUX J., *Psychosomatique et médecine comportementale*, Paris, Masson, 1981, 217 p.

27. CRAIG K. D., «Social modeling influences on pain», in R. A. Sternbach (éd.), *The Psychology of Pain*, New York, Raven Press, 1978, p. 73-109.

28. FONTAINE O., *Introduction aux thérapies comportementales*, Bruxelles, Mardaga, 1978, 299 p.

29. FORDYCE W., *Behavioral Methods for Chronic Pain and Illness*, St Louis, Mosby, 1976, 236 p.

30. FORDYCE W. E., «Learning processes in pain», in R. A. Stenbach (éd.), *The Psychology of Pain*, New York, Raven Press, 1978, p. 49-72.

31. GAMMON G., STARR I., «Studies on the relief of pain by counterirritaton», *J. clin. invest.*, 1941, 20, p. 13-20.

32. GRACELY R. H., DUBNER R., WOLSKEE P. J., DEETER W. R., «Placebo and naloxone can alter post-surgical pain by separate mechanisms», *Nature*, 1983, 306, p. 264-265.

33. HILGARD E. R., HILGARD J. R., *Hypnosis in the Relief of Pain*, Los Altos, William Kaufman, 1983, 294 p.

34. HOLMES T. H., RAHE R. H., «The life Adjustment Rating Scale», *J. Psychosom. Res.*, 1967, 11, p. 213-218.

35. JACOBSON E., *Savoir relaxer pour combattre le stress*, Montréal, L'Homme, 1980, 234 p.

36. JESSUI B. A., NEUFELD R. W., MERSKEY H., «Biofeedback therapy for headache and other pain : an evaluative review», *Pain*, 1978, 7, p. 225-270.

37. KEEFE F. J., BLOCK A. R., WILLIAMS R. B., SURVIT R. S., «Behavioral treatment of chronic low back pain : clinical outcome and individual différences in pain relief», *Pain*, 1981, 11, p. 221-231.

38. KHATAMI M., RUSH A. J., « A one year follow-up of the multimodal treatment for chronic pain », *Pain*, 1982, 14, p. 45-52.

39. LAKE A. E., « Cognitive-behavior therapy for headache : assessment and treatment considerations », in J. R. Saper (éd.), *Headache Disorders*, 1983, p. 233-248.

40. LAZARUS A., « A Multimodal behavior therapy, treating the "basic id" », *J. Nerv. Ment Dis.*, 1973, 156, p. 404-411.

41. LAZORTHES Y., SIEGFRIED J., GOUARDERES C., BASTIDE R., CROS J., VERDIE J. C., « Periventricular gray matter stimulation versus chronic intrethecal morphine in cancer pain », in J. J. Bonica *et al.* (éd.), *Advances in Pain Research and Therapy*, vol. 5, New York, Raven Press, 1983, p. 467-475.

42. LEBARS D., DICKENSON A. H., BESSON J. M., « Diffuse noxious inhibitory controls (DNIC) I Effects on dorsal horn convergent neurones in the rat », *Pain*, 1979, 6, p. 283-304.

43. LEBARS D., DICKENSON A. H., BESSON J. M., « Diffuse noxious inhibitory controls (DNIC) II Lack of effects on non convergent neurones, supraspinal involvement and theorical implications », *Pain*, 1979, 6, p. 305-327.

44. LEVINE J. D., GORDON N. C., FIELDS H. L., « The mechanism of placebo analgesia », *Lancet*, 1978, 11, p. 654-657.

45. MEICHENBAUM D., *Stress Inoculation Training*, Pergamon Press, 1985, 115 p.

46. MELZACK R., « The Mc Gill pain questionnaire : major properties and scoring methods », *Pain*, 1975, 1, p. 277-299.

47. MELZACK R., « Acupuncture and related forms of folk medicine », in P. D. Wall and Melzack R. (éd.), *Textbook of Pain*, Livingstone, Churchill, 1984, p. 691-700.

48. MELZACK R. (éd.), *Pain Measurement and Assessment*, 1984, 212 p.

49. MELZACK R., WALL P. D., « Pain mechanisms : a new theory », *Science*, 1965, 150, p. 971-979.

50. MELZACK R., WALL P. D., *Le Défi de la douleur*, Paris, Maloine, 1982, 413 p.

51. MELZACK R., JEANS M. E., STRATFORD J. G., MONKS R. C., «Ice massage and transcutaneous electrical stimulation : comparison of treatment for low-back pain», *Pain*, 1980, 9, p. 209-217.

52. MERSKEY H., «The role of the psychiatrist in the investigation and treatment of pain», in J. J. Bonica (éd.), *Pain*, New York, Raven Press, 1980, p. 249-260.

53. PAVLOV I. P., *Conditioned Reflex*, Oxford, Humphrey Milford, 1927.

54. PILOWSKY I., SPENCE N. D., «Pain and illness behaviour : a comparative study», *J. Psychosom. Res.*, 1976, 20, p. 131-134.

55. ROBERTS A. H., «Contingency management methods in the treatment of chronic pain», in J. J. Bonica *et al.* (éd.), *Advances in Pain Research and Therapy*, vol. 5, New York, Raven Press, 1983, p. 789-794.

56. ROBERTS A. H., REINHARDT L., «The behavioral management of chronic pain : long term follow up with comparison groups», *Pain*, 1980, 8, p. 151-162.

57. SAEGER L. C., KHATAMI M., *Coping with Pain*, Oklahoma, 1978, 38 p.

58. SCHACHTER S., SINGER J. E., «Cognitive, social and physiological determinants of emotional states», *Psychol. rev.*, 1962, 69, p. 378-399.

59. SCHULTZ J. H., *Le Training autogène*, Paris, Presses universitaires de France, 1974, 333 p.

60. SELIGMAN M. E. P., *Helplessness : on Depression, Development and Death*, San Francisco, Freeman W. H., 1975.

61. SKINNER B. F., *L'Analyse expérimentale du comportement*, Bruxelles, Dessart, 1971, 406 p.

62. SMOLLER B., SCHULMAN B., *Pain Control, the Bethesda program*, New York, Garden City, 1982, 301 p.

63. SPIELBERGER C. D., GORSUCH R. L., LUSHENE R. E., *Manual for the State-trait Anxiety inventory* (Self Eva-

luation questionnaire Palo Alto : consulting Psychologists), 1970.

64. STERNBACH R. A., *Pain Patients Traits and Treatment*, New York, Academic Press, 1974, 135 p.

65. STERNBACH R. A., *The Psychology of Pain*, New York, Raven Press, 1978, 271 p.

66. STERNBACH R. A., « Behavioral therapies and headache », in D. J. Dalessio (éd.), *Wolff's Headache and Other Head Pain*, Oxford, Oxford University Press, 1980, p. 440-449.

67. STERNBACH R. A., *How can I learn to Live with Pain when it Hurts so much ?*, 1983, 50 p.

68. TAN S. Y., « Cognitive and cognitive-behavioral methods for pain control : a selective review », *Pain*, 1982, 12, p. 201-228.

69. TERMAN G. W., LEWIS J. W., LIEBESKIND J. C., « Endogenous pain inhibitory substrates and mechanisms », in Benedetti *et al.* (éd.), *Advances in Pain Research and Therapy*, vol. 7, New York, Raven Press, 1984, p. 43-56.

70. TURK D. C., MEICHENBAUM D., GENEST M., *Pain and Behavioral Medecine, a Cognitive-behavioral Perspective*, New York, The Guilford Press, 1983, 452 p.

71a. TURNER J. A., CHAPMAN C. R., « Psychological interventions for chronic pain : a critical review. I, Relaxation training and biofeedback », *Pain*, 1982, 12, p. 1-21.

71b. TURNER J. A., CAPMAN C. R., « Psychological interventions for chronic pain : a critical review. II. Operant conditioning, Hypnosis and cognitive-behavioral therapy », *Pain*, 1982, 12, p. 23-46.

72. WALL P. D., MELZACK R., *Textbook of Pain*, Livingstone, Churchill, 1984, 866 p.

73. WALL P. D., « On the relation of injury to pain », *Pain*, 1979, 6, p. 253-264.

74. WATZLAVICK P., *Faites vous-même votre malheur*, Paris, Seuil, 1984, 119 p.

75. WOLPE J., *Pratique de la thérapie comportementale*, Paris, Masson, 1975, 311 p.

198

TABLE